색깔 하나 바꿨을 뿐인데 모든 게 변했다

색깔 하나 바꿨을 뿐인데 모든 게 변했다

2020년 8월 8일 초판 1쇄 발행
2020년 8월 8일 초판 1쇄 인쇄

지은이 | 이현영

인쇄 | 아레스트
표지 | beambitious factory

펴낸이 | 이장우
펴낸곳 | 꿈공장 플러스
출판등록 | 제 406-2017-000160호
주소 | 경기도 파주시 헤이리 예술마을
전화 | 010-4679-2734
팩스 | 031-624-4527
이메일 | ceo@dreambooks.kr
홈페이지 | www.dreambooks.kr
인스타그램 | @dreambooks.ceo

ISBN | 979-11-89129-64-4

정 가 | 15,000원

색깔 하나
바꿨을 뿐인데
모든 게 변했다

너무 눈이 부셔 제대로 자신을 바라보지 못했던 나에게

『색다름을 나다움으로』

컬러인터랙터로 새 삶을 사는 나의 꿈은 '현모양처'였습니다. 사실 어진 어미, 착한 아내가 되고자 했던 것은 아닙니다. 그저 평범한 삶을 살고 싶었을 뿐입니다. [평범하다:뛰어나거나 색다른 점이 없이 보통이다] 하지만 나에게 색다름은 남다름으로 찾아와 나 자신을 가장 힘들게 했나 봅니다. 그만 상처받고 싶었습니다. 행복만 누리고 싶었습니다. 어쩌면 가장 꿈같은 꿈이었는지도 모릅니다. 신조차 하지 못한 일, 이 세상 어느 누가 상처하나 없이 오직 사랑만 받으며 마냥 행복한 삶을 살고 있을까요.

어릴 적, 아빠와 결혼하는 것이 꿈이었던 나는 지금도 새로운 꿈을 만들어 가는 중입니다. 그때그때 나의 색깔에 맞춰 변화해왔던 직업의 종류만 손꼽아 보아도 무지개 색깔은 이미 만들고도 남은듯합니다. 패션디자이너부터 선생님, 강사, 작가, 상담사, 부모교육전문가, 컬러테라피스트 등 지금도 여전히 나는 변화하고 있습니다. 테라피스트라 하면 흔히 치유자라고 소개합니다. 나 역시 그리 말 한마디 하면 될 것을 내가 경험한 치유는, 나 자신 스스로 멈춤을 선택하지 않는 이상 이뤄지지 않는 일이었습니다. 분명 우리 주변, 많은 도움을 주시는 전문가들이 함께합니다. 다만 나는 결국, 가장 나다운 사람을 표현하고자 색깔로 영향을 주고받는 사람(인터랙트 = 상호작용하다 = 주고받다 = 나누다)이라는 의미에서 '컬러인터랙터'라는 직업명을 굳이 만들어내고서야 드디어 세상에 나를 소개하기 시작했습니다.

'카멜레온처럼 살고 싶다.' 나의 오래된 좌우명입니다. 카멜레온 하면 특별한 듯 보이지만 사실 누구보다 다르게 보이고 싶지 않은 강한 의지를 지닌 듯합니다. 자신을 지키기 위해서, 주어진 환경에 따라 기꺼이 자신의 색을 바꿔버리기도 하니까요. 아마 내가 처음 바라본 카멜레온은 나의 꿈, 나의 삶조차 타인과 세상에 맞추려 애쓰던 나의 모습이었던 것 같습니다. 어쩌면 스스로 만든 이 좌우명이 나에게는 가장 잔인했던 선택이었는지도 모르겠습니다. 나의 색깔은 숨기고 살아야 한다고, 내가 나에게 끊임없이 주문을 걸어 왔을 테니까요.

바꿔보려 노력도 해봤습니다. 그러나 왠지 노력하면 할수록 '역시 나는 안 되는구나.' 더 큰 좌절만 찾아왔습니다. 꽤 오랜 시간 마음수련과 나를 챙기는 시간을 가진 후에야, 달라진 나의 좌우명을 만날 수 있었습니다. 지금 나에게 좌우명을 묻는다면, 이렇게 대답합니다.

'카멜레온답게 살자.'

'살고 싶다'와 '살자!' 사이의 작은 변함은, 나에게 큰 변화를 가져다주었습니다. 카멜레온처럼 사는 나를 인정함과 동시에, 내 삶을 즐길 줄 아는 나의 선택이 담겨있습니다. 더불어 가장 중요한 것은 바로, 카멜레온인 나 자신을 사랑하기 시작했다는 것이 가장 큰 변화가 아닐까 싶습니다. '있는 그대로' 나 자신을 바라봐 주기 시작했습니다. 내가 나였기에 제대로 마주해주지 못했던 나를 만나주었습니다. 나의 색다름을 고민하기보다 나다움으로 지키며 살아가는 방법을 찾아냈습니다. 숨기기 위함이 아니라 자신을 보호하기 위해 상황과 역할에 따라 나의 색깔, 나의 감정, 나의 상태를 선택할 수 있음을 깨닫게 된 것입니다.

세상 모든 이들은 남다르다, 색다르다고 말합니다. 그런데 색깔을 통해 나와의 만남 속, 나는 또 하나 깨달은 것이 있습니다. 나 자신도 매 순간 색다를 수 있음을 말입니다. 분명, 모두 '나'를 만나고자 했던 많은 기회와 경험들이 있었을 것입니다. 그렇다면 혹시 나의 색깔, 나의 빛을 제대로 마주해 본 적은 있을는지요.
우리는 무언가 보려면 반드시 빛이 필요합니다. 내게서도 빛을
찾아내야 진정 나 자신이 보이기 시작하지 않을까요.

너무 눈이 부셔 제대로 자신을 바라보지 못했던 나에게
한 번쯤은 '남다른 나를 만나는, 색다른 나만의 여행'을 추천해
봅니다.

변화무쌍하지만 한결같은 '카멜레온 – 컬러인터랙터'가
딱 한 사람 _____ 에게 여행티켓 대신 이 한 권의
책을 전합니다.

<색깔 하나 바꿨을 뿐인데 모든 게 변했다>
저자 컬러인터랙터 이현영 올림

Prologue

나에 따라 달라지는 투명 책

이 책의 색깔은 투명이다. 그러니 어떠한 색깔로 본다 해도 틀린 이는 하나 없다. 누가 어디서 어떻게 보느냐에 따라 빛의 색깔처럼 볼 때마다 달라질 수 있다.

완성된 원고를 가장 먼저 받아 본, 스승님께서 독자와 전문가 관점에서 살펴봐 주시고는 물었다.

"이 책이 어떤 색깔로 보이기 바라나요?"

마치 나는 질문을 예상이라도 한 듯, 망설임 없이 나의 마음을 전했다.

"저는 여기까지요. 이 책이 어떤 이에게, 무슨 색깔로 전해질지는 제가 알 수도, 할 수도 없는 일이지 않을까요. 그렇다면, 보는 이의 시선에 따라 달라질 수 있는 Clear-투명일 수 있겠네요."

이어진 스승님의 한 줄 평은 이러했다.

"나와 같지 않기를, 아프지 않길 바라는 마음이 가장 큰 것 같군요."

그럴 수도 있겠다. 어쩌면 나는 이 책을 통해 '모두 행복해질 거다.'라는 메시지를 전하고자 했던 것은 아닐 수도 있겠구나 싶었다. 아프면 아프다고 힘들면 힘들다고, 나 자신만큼은 알아주길 바라는 마음이었던 것 같다. 그러니 이 책을 통해 자신을 들여다보는 동안 불편하면 화를 낼 수도, 힘들다 싶으면 잠시 어디론가 툭 던져두어도 좋겠다. 다만, 흐르는 눈물은 흐르는 대로, 기쁨의 환한 미소는 더 감사히, 망설임 없이 마음껏 즐겨주길 바란다.

〈죽고 싶을 만큼 진짜 살고 싶은 사람〉
이 책 기획서의 독자 대상에 적힌 문구이다.
무조건 행복을 희망하기에 앞서, 진정 내가 '나로서 살고자 하는 나'부터 만나길 간절히 바랐다. 살아야 하니까 사는 것이 아니라 살고 싶어서 살아가는, 내가 나로 살아가는 것이 행복하길 바라는 마음이었다. 사실 나 역시 지금도 행복을 향해가는 길의 어딘가, 아직 멈추지 않는 나침반의 흔들림 속에서 순간순간을 살아가고 있는지도 모르겠다. 그런 내가, 힘들고 아파하는 이들에게 '괜찮아, 행복해질 거다.'라는 막연한 응원만을 전할 수는 없었나 보다. 애써 웃음까지 지어 보여야 하는 응원보다, 차라리 마음껏 울 수 있도록 내리치는 폭우와 슬픈 음악 그리고 눈물짓게 하는 영화가 고마울 때도 있었으니 말이다. 정작 내게 필요했던 처방전은 무엇이었을까. 나는 그것을 색깔을 통해 찾을 수 있었다.

이 책은 컬러 정보만을 담은 전문서적은 아니다. '이것만 하면 된다.' 성공사례만 담아낸 자기계발서도 아닌 듯하다. 어쩌면 그저 나를 만나온, 색다른 나의 인생 여행기쯤 되려나. 대신 한때는 나의 모든 것을 부정하고자 했던 내가, 적어도 이제는 나 자신을 인정함을 넘어 사랑해줄 수도 있게 된 기적 같은 이야기를 만나 볼 수도 있지 않을까. 수많은 진단과 검사, 마음수련, 심신치유 등 얼마나 나를 찾아 헤맸던지…. 오직 타인에게서만 나를 찾고자 해왔으니 진짜 내가 나를 만나주는데 참 오래도 걸렸다. 필자가 적은 글을 보고 있다지만 그 누구도 아닌 진정 '나' 자신을 만나주면 좋겠다. 나아가 이러한 나 자신과의 만남이 불편함이 아닌 즐길 줄 아는 순간이 찾아오길 바란다.

책을 보는 방법

어릴 적, 문방구에서 팔던 요술 반지를 껴본 적 있는가. 사람의 상태에 따라 색깔이 변한다 하여 요술 반지 또는 마술 반지라 불리던 색깔 반지가 있다. 이번에 다시금 살펴본 색깔 반지 설명서에는 빨간색 기분짱, 녹색 편안해, 파란색 여유롭게, 분홍색 사랑스러운 등으로 안내되어 있었다. 온도 변화에 따른 색깔이었겠으나 마음과 몸의 반응은 연결되어 있기에 그리 틀린 말은 아니었을는지도 모른다. 이렇듯 언제나 우리는 나이 불문, 어떤 방법으로든 나의 마음, 나의 상태를 알아차리고 싶어 하지 않았는가. 그렇다면 지금, 나에게 이 책은 무슨 색깔로 찾아왔을까.

혹시 좋은 글귀와 아름다운 메시지로 위로와 희망만을 원했다면 빠른 사과를 건넨다. 분명, 세상 모든 이들이 편안해지길 바라는 마음에서 쓴 책이라고 하지만, 결코 과정은 편치만은 않을 수 있다. 끊임없이 질문을 던져 귀찮게 할지도 모른다. 그러나 어떤 이유로 마주하고 있건 이 책을 덮을 때쯤엔, 모두 작가인 내가 아닌 독자인 나를 만나있길 바란다. 오롯이 자신만의 이야기부터 만나보고 싶다면 가장 마지막을 장식하고 있는 '나만의 컬러인터랙트' 그곳에서, 나 자신과의 대화부터 시도해 보는 것도 좋겠다. 만약, 그 시간을 통해 자신을 만나주었고 스스로 전해진 메시지가 충분했다면, 나의 이야기로 되돌아오지 않아도 괜찮다. '나를 만나는 시간' 그것이 내가 책을 통해 함께하고자 했던 가장 큰 이유이기 때문이다. 그저 어디선가 익히 들어봤을 법한 물음도 담겨있다. 오로지 나의 몫으로 채워야 하는 텅 빈 공간도 기다리고 있다. 아무리 변함없는 대답이 채워지는 물음이라 할지라도, 그 순간의 나를 다시 만나주길 바란다. 새롭지 않다고 하여 내가 아닌 것은 아니지 않던가.

꼭 당장 채워야만 하는 것은 아니다. 지금은 그저 컬러인터랙터와 함께하는 색다른 질문여행 길에 나의 말동무가 되어주는 것도 참 좋겠다. 다만, 호흡은 독자에게 맡긴다. 참고로 뛰어야만 하는 상황이 아니라면, 더 많은 것을 볼 수 있도록 여유를 가지고 천천히 걷기를 추천한다. 더불어 한번 보다 두 번, 세 번, 볼수록 더 깊이 나 자신을 느끼고 만날 수 있을 것이다.

하나.

색깔로 찾은 나

색깔을 바꾸면 다시 살 수 있을까

컬러인터랙터의 첫 만남

『색다른 아이는 어떤 아이였을까』

"컬러인터랙터가 되어, 가장 첫 번째로 만났던 사람의 이야기로 시작해볼까 해."

나는 사람들과의 첫 만남에서 나의 모든 것을 보여주려 하기보다, 천천히 나누고 또 스며드는 것을 좋아한다. 그러나 나를 가장 빠르게 드러내고 상대의 마음을 얻어야만 하는 순간들이 있다. 특히, 주어진 시간은 짧고 마음의 문은 굳게 닫힌, 위기청소년들과의 만남에선 더욱 그렇다. 무엇보다 강한 신뢰감과 빠른 공감 형성이 가장 먼저 필요하다. 그럴 때면 나의 오래된 영광의 상처들은 오히려, 만남의 지름길인 무지개다리가 되어 주기도 한다.

"이 아이는 말이야, 어릴 때부터 눈물이 참 많았대. 친구들에게 놀림도 많이 받고, 눈물 뚝! 어른들은 울지 말라고 꾸중을 듣기도 했겠지. 그래서 눈물을 안으로 삼키기로 다짐했었대. 그렇게 일부러 웃고 또 웃기만 했더니, 어느 순간 친구들 사이에서 꽤 인기도 높아지더라는 거야. 그런데 문제는 그때부터였던 거지. 어느 날, 학교에서 갑자기 헉하고 숨을 쉬지 않더래. 병원에서 검사를 해봤지만, 특별한 이상을 찾을 순 없었어. 결국, 마음에서 보냈던 불편함의 신호 아니었을까. 그 순간 이런 생각이 들더래. 진짜로 아픈 거니까 아플 때만큼은 울어도 되지 않을까. 아파서 우는 거니까, 이제는 사람들이 진짜 나를 봐주진 않을까 하는 기대를 했나 봐."

"치! 그럴 리가. 더 혼나지나 않으면 다행이지." 친구들끼리 떠들던 아이들이 하나둘 툭툭 한 마디씩 내뱉어주기 시작했다.

"그래. 그랬나 봐. 그 바람은 욕심이었거나 착각이었던 것 같다고 하더라. 어쩌면 자신을 더 비참하게 만들었던 생각이었는지도 모르지. 정말 아파서 아프다고 한 건데, 누구나 아픈 거라며 괜찮아질 거라고, 괜찮아져야 한다고들 했으니까."

"거봐. 그럴 줄 알았어." 드디어, 고개를 숙였던 아이들의 눈빛을 마주할 수 있었다.

"그래도 모든 마음을 들어주고 알아주는 이가 딱 한 사람 있었대.

그 어떤 바람도 없이 그냥 언제나 뭐든지 말이야. 하지만 언제나 천사와도 같았던 그 사람마저 떠나가버렸나 봐. 조금은 먼 세상, 어쩌면 그가 원래 살았던 곳으로 너무 빨리 가게 되었던 거지." 이제는 재빠르게 반응을 보였다.

"이거 영화예요? 설마 여자친구? 남자친구?" 이야기를 듣고만 있던 아이들은 한 편의 드라마를 시청하듯 빠져들었다. 다음 이어질 이야기마저 직접 만들어주며, 집중을 넘어 재촉하기 시작했다.

"딱 한 사람이었던 그마저 떠났으니, 그 후로는 더욱더 마음을 열기가 어려웠겠지. 그 아이의 말로는, 마치 자신이 마음을 열면 오히려 모두 떠나버리는 것만 같았다고 했거든. 결국, 감추는 것을 선택할 수밖에 없지 않았을까. 분명, 주변에 좋은 사람들도 있었겠지. 그렇지만 왜 그런 거 있잖아, '힘 들 다' 단 세 글자로 전하기엔 지금까지의 그 수많은 과정과 감정들을 설명조차 하기 어렵다는 거. 그러니 이야기를 듣는 이들도 그 깊이는 알 수 없었을 테지. 그저 괜찮아질 거라는 위로 아닌 위로만 해 줄 수밖에 없지 않았을까. 그 후로도 분명 혼자여서는 안 되는 일들도 많았건만, 누구에게도 쉽게 도움조차 요청하지 못했고 결국, 마주했던 선택의 끝은 한 번, 두 번 그리고 세 번쯤……. 처음에는 막상 세상을 떠나려 하고 보니 사후세계가 걱정되더래."

"안 죽었죠?" 하나둘 자신의 경험에 빗대어 이야기를 이어갔다. 덕분에 애써 묻지 않아도 자연스레 아이들의 이야기도 만나 볼 수 있었다.

"그렇지. 사실 죽고 싶을 만큼, 진짜 살고 싶었던 건 아닐까. 그리고 다음에는 미련 따위는 없었는데, 가족들 생각이 나더래. 그리고 세 번째쯤, 이제는 진짜로 무서울 것 하나 없이 정말로 떠날 수도 있겠다 싶은 순간, 유체이탈이라고 들어봤지? 마치 진짜 또 다른 내가 나에게서 잠시 나와서, 자신을 바라보고 있는 것 같더라는 거야."

"그런데요? 그래서요? 어떻게 되었는데요?" 이미 아이들의 관심 끌기는 충분했고 남은 것은 조금 더 솔직하게, 진심으로 함께 할 수 있는 시작을 알려주는 것이었다.

"걱정하지 마. 주어진 순간순간들의 삶이, 얼마나 소중한지 깨닫고는 아주 잘살고 있으니까. 너희 앞에 이렇게 말이야." 기대와 다른 반전이었을지 모르겠으나, 나에겐 이보다 감사한 해피앤딩이 있을 수 있으랴. 상처를 받지 않았던 때로 되돌릴 수는 없었다. 앞으로 다가올 지도 모를 아픔을 미리 알 방법은 더더욱 없다. 그러나 예전처럼 나 자신에게 깊은 흉터를 남겨주지 않기 위해, 기꺼이 상처를 바라봐 줄 용기도 생기지 않았던가. 도움이 필요하면 언제든 치료를 받고 스스로 치유해주며, 이제는 상처들과도 이렇게 "안녕." 하고 안부를 묻고 있으니 말이다.

사실 예전, 나의 모습은 참 많이 달랐다. 오히려 나를 드러내려 애썼던 때도 있었다. 단, 내가 원하는 나의 모습이 아닌, 상대가 원하는 나로 말이다. 언제나 사람이 고팠다. 다른 이들이 맛집을 찾아다닐 때, 나는 사람을 찾아다녔다. 장소마다, 무엇을 먹느냐에 따라 모습과 만남도 달라질 수 있듯, 만나는 사람마다 나누는 것과 인연을 이어가는 방법도 모두 달랐다. 그러니 매 순간 마주하는 사람들의 감정과 표정 그리고 말투와 눈빛 하나하나까지, 얼마나 눈치를 살피고 또 맞추려 애써왔을까. 특히, 내가 좋아하는 사람이라면 더 잘 보이고 싶어 했다. 하나, 좋아하는 만큼 불안함도 커져만 갔고, 나는 다시 도망치기 바빴다. 이별의 아픔은 사라지는 것이 아니라 더욱 깊어간다는 사실을 모른 채 버림받기 전, 내가 먼저 이별을 택했다. 이제 와 생각해보면 덕분에 어디에서도 배울 수 없는 사람 공부는 제대로 해 본 거구나 싶기도 하다. 어쩌면 그래서 사람과 참 닮은듯한 색깔을 배우는 과정이 나에게 어렵지만은 않았나 보다.

어릴 적, 나의 종교와 무관하게 다니게 된 미션스쿨–중고등학교에는 목사님이 한 분 계셨다. 매주 일기로 고민 상담을 받아주시곤 했는데, 그때 목사님께서 남겨주신 메시지 하나가 떠올랐다. "넌 참 색다른 아이로구나." 「색다르다」 그때 내가 느낀 색다름은 꽤 불편했었던 것 같으나, 이제야 조금씩 그것이 특별함이었을 수도 있음을 생각해본다. 이리도 색다른 내가 색다름을 나다움으로 바라봐주기까지 참 오래도 걸렸다.

색깔로 나를 찾게 된 순간

『내 삶의 장르는 무슨 색깔일까』

오직 '나' 하나 만나보겠다고 꽤 오랜 수련을 이어왔다. 그동안
나 역시 상담사분들도 여럿 만났다. 분명 감사한 은인이 찾아와
주기도 하였고, 가끔은 원망의 대상이 되어 주기도 한 것 같다.
지나고 보니 결국, 좋고 나쁜 사람이 있었던 것이 아니었다. 다
만 적절한 시기에 때마침, 어떤 이를 만나느냐는 서로에게 참 중
요하단 생각이 든다. 숨 쉬는 것마저 혼자 할 수 없을 것만 같을
때쯤, 내게도 '인생 스승님'이 나타나 주셨다.

"넌 무슨 색깔이니?" 나에게 물으셨다. 우선 질문이 신선했다.
흥미로웠고 무엇보다 무겁지 않아서 편했던 것 같다. '화려했던
만큼 처절했고 간절했던 만큼 불쌍히 여겨졌던 나의 불타오르던
빨간색의 20대. 기뻐서 울고 슬퍼서 또 울고, 뭐 그리 억울했던
것도 많았던지.' 그저 내가 고른 색깔을 핑계 삼아 자연스레 나
의 인생 필름을 주르륵 펼쳐 보일 수 있었다. 이야기를 풀어놓는

순간에도 나는 이미 되돌아올 이야기마저 생각하고 있었다. 누구나 그러했듯 위로가 담긴 따뜻한 목소리가 찾아올 것이라 예상했다. "너의 잘못은 아니야." 라는 메시지 말이다. 그런데 순간 나에게 들려온 말은 난생처음 들어본 이야기였다.

"네가 너의 드라마를 쓰고 있구나." 드라마? 그것도 내가? 당황스러움도 잠시, 그렇다면 내가 자작극 속에 살고 있었다는 것인가 라는 물음표가 찾아왔다. 그리고는 바로, 부정할 수 없는 나 자신과 마주하고 있었다. 결국, 이 모든 삶의 흐름과 방향을 내가 이끌어 가고 있음을 알려주고자 하심이었다. 이상했다. 마치 묵은 때를 벗겨내듯 따끔하면서도 이 시원함은 뭘까 싶었다. 달래보고 위로해 주려 애를 써보아도 변하지 않던 내가 드디어 방법을 찾아낸 듯 번뜩였다. 마치 심폐소생술을 받은 것만 같았다. 지금도 가끔 감사의 인사를 전하면 스승님께서는 오히려 내가 그런 얘기를 했느냐며 웃음 지어 넘기신다. 과연 그런 말씀을 하시긴 했던 걸까. 어쩌면 그 순간 듣고 싶은 대로, 그저 내가 듣고자 했던 말은 아니었을까? 어쨌든 그 낯선 한마디가 나에겐 꽤 오랜 시간, 이명처럼 내 안에서 끊임없이 울리던 괴로운 외침을 멈추게 해준 것만은 틀림없다. 그리고 그 후, 나의 색깔은 확연하게 달라지고 있었다. 색깔은 딱 한 방울의 물만으로도 충분히 달라질 수 있다. 그로 인해 내 삶의 장르는 또 한 번 변화를 맞이하고 있었다.

나는 반전드라마 또는 영웅담을 좋아하지 않는다. 아니, 사실 재밌어하지만, 그 과정을 즐기지 못한 탓에 있다. 억울함을 바라만 보고 있어야 하는 그 순간을, 견디기 너무 어려워했다. 영웅을 만들기 위해서는 이유 불문, 악당은 필요했고 불편한 모습들이 담겨야만 했다. 생각해보니 어릴 적에도 완결판이 나온 만화책만 골라 읽었다. 남들은 애써 모르고 보려 하는 반전영화도 미리 결말을 찾아보고 가야지만 즐길 수 있었다. 고구마 전개의 드라마는 꼭 재방송을 보거나 사이다 반전을 맞이하고서야 역주행을 해야만 했다. 이미 알아버린 결말에 무슨 재미가 있느냐고 하는 이들도 있겠지만 아마도 나는 오해와 억울함, 불안함 등의 감정 자체가 무척 힘들었나 보다.

문득, 떠오른 한 편의 영화가 있다. 혹시 스티븐 크보스키 감독의 원더(Wonder, 2017)라는 영화를 본 적 있는가. 〈세상의 모든 일이 너와 관련된 것은 아니야. 상대가 유치한 행동을 하면 너는 어른스럽게 대해주렴. 평범한 사람은 없다.〉 그리고 〈You really are a wonder〉 등 명대사가 쏟아져 나오는 이 영화를 좋아하는 이유가 또 하나 있다. 바로, 단 한 사람만을 주인공이라 정해두지 않고, 모두의 시선으로 바라봐주었다는 점이다. 기적 같은 아이 '어기'와 더불어 가족들의 입장 만나 볼 수 있다. 덕분에 오해와 억울함이 남지 않는 영화였다. 한편으론 그래서 어쩌면 더 가장 현실과 다른, 영화다운 영화 아니었을까 싶기도 하다. 이와 같은 이유로 오로지 남자주인공의 시선만을 담아낸 마크 웹 감독의 〈500일의 썸머〉 (500 Days Of Summer, 2009) 라는 영화가 나는 괜스레 아팠다. 만약 여자 주인공의 입장으로 만들었다면, 한쪽이 아닌 양쪽의 마음을 모두 살펴볼 수 있었다면, 많은 것이 달라졌을 수도 있지 않을까.

지금 나를 한 편의 영화로 담아낸다면, 어떤 색깔의 장르라 할 수 있을까. 선생님, 강사님, 대표님, 작가님, 위원님, 며느리, 작은딸, 현영이, 아내 그리고 엄마……. 하루에도 수십 번 달라지는 나의 이름들. 가끔은 그에 따른 색깔조차 알록달록 아니, 얼룩덜룩한 한 편의 전쟁영화가 따로 없을 때도 있다. 그래도 예전 나의 삶이, 눈물 쏙 빼는 블루컬러의 신파극이었다면 적어도 지금은, 행복한 결말도 꿈꿔 볼 법한 옐로우톤의 가족드라마 정도는 되지

30 않을까 싶다. 다가올 순간들은 그 누구도 알 수 없다지만, 그렇기에 언제나 선택할 기회도 열려있음을 기억해본다. 내 삶의 장르와 펼쳐낼 색깔도 스스로 만들어 갈 수 있길 바란다.

내가 가진 색깔 있는 그대로 바라보기

『인정하기부터가 시작이다』

나는 당연히 엄마가 되려고 한다면 언제든 가질 수 있는 이름이라 생각했다. 아이를 볼 때면 언제나 미소가 띄워졌고 마냥 사랑스러워 유치원 교사가 되기도 했다. 그러나 정작 나를 엄마라고 불러 줄 내 아이를 만나기는 쉽지 않았다. 상상조차 해보지 않았던 난임 소식을 들었을 때, 오로지 엄마가 되는 것만이 살아갈 이유가 되기도 했다. 힘겨운 기다림과 간절한 바람 끝에 내게서도 드디어 또 하나의 심장이 뛰기 시작했다. 그리도 기다렸던 아이와 처음 만나던 그 순간, 더는 바랄 것이 없었다. 더욱 간절한 바람이 생길 줄 꿈에도 모른 채 말이다.

Q825, 선천성이상 화염상모반이라는 질병코드를 갖고 태어난 아이. 그야말로 남다른 아이였다. 태어나는 순간조차 특별했던 아이는 코와 입 주변으로 붉은 꽃을 품고 있었다. 생후 한 달 후부터 시작된 레이저 수술은 두세 달에 한 번씩, 7년여간 이어졌

다. 그러던 어느 날 병원에서 안내를 받았다. "아이가 조금씩 보기 시작할 때, 충격받지 않도록 거울을 잠시 치워두는 것도 좋습니다." 그러나 문득 '집의 거울을 없애면 숨길 수는 있는 것일까.' 싶었다. 그래서 오히려 남들에게 물음을 받기 전, 아이 스스로 자신을 인정하기부터 함께 연습해보기로 마음먹었다. 처음에는 거울에 비친 모습을 보며 상처가 있는 거울을 만져보기 시작했다. 서서히 거울 속의 모습이 나 자신임을 알게 되었다. 자신의 다름에 대해 알아차렸다. 어쩌면 인정보다 익숙해졌다고 할 수도 있겠다. 어찌 되었건 아이는 자연스레 자신의 특별함도 함께 성장시키고 있었다. 예상대로 수차례 들어야만 했던 질문에도 씩씩하게 대답할 수도 있게 되었다. "에고, 어디서 넘어졌구나?" "아니에요. 멋쟁이 치료한 거예요. 레이저 치료요." 있는 그대로의 자신을 스스로 어루만져 주기 시작했다.

내가 숨겨둔 나의 모습

아이 대상 프로그램 중 특수아동들과 함께하는 통합 수업을 진행한 적이 있다. 색깔 선생님인 나 역시 한 아이의 엄마라는 소개와 함께 내 아이의 단단함에 대해 자랑해 보였다. 그런데 그 순간, 생각지도 못한 한 아이의 표정을 지금도 나는 잊을 수 없다. 솔직히 고백하건대 장애 비장애 학생 통합교육 프로그램이었기에 비장애 대상이라 생각한 아이였다. 갑작스레 그 아이는 셔츠 손목 단추를 푸르기 시작했다. 내 아이의 얼굴처럼 붉게 물든 자신의 팔목을 보여주며 말했다. "우와 선생님, 저도요." 그 아이의 표정을 상상해 볼 수 있겠는가. 적어도 숨김은 아닌 당당함으로, 환하게 웃음 지으며 눈부시게 빛나고 있었다. 수업이 끝나자 담당자님과 부모님께서 고맙다는 인사를 전해주셨다. 그러나 나는 오히려 더 없이 감사했다. 있는 그대로 바라봐주는 것만으로도 고마웠다. 또 한 번 아이들에게 배웠다. '혹시 내가 보여주고 싶은 대로만 봐주길 바라던 나는 아니었을까.' 알면서도 숨겨두려고만 했던 나의 모습은 없는지, 다시금 나를 바라볼 용기를 내기로 했다.

요즘처럼 갑작스러운 사고가 자주 일어나는 세상, 떠나고 나면 걱정되는 것 중 하나는 바로 휴대전화라 한다고 들은 적이 있다. 생각해보면 사실 별거 없는 것 같으면서도 괜스레 잠금장치 하나쯤 해놓게 되는 것이 휴대전화인 듯하다. 나는 가끔, 문득 무언가 떠오를 때나 남들에게 표현하지 못했던 감정을 나에게 메시지를 보내는 것으로 대신해왔다. 마치 임금님 귀는 당나귀 귀를 외치듯 메시지를 보내온 지도 벌써 5년쯤. 책 한 권쯤은 나올법 하다. 나에게는 블랙박스도 마찬가지지 싶다. 한때는 유일하게 목 놓아 울었던 공간이 바로 차 안이었다. 어쩌면 나의 고래고래 외쳐 부르던 노랫소리와 무심결에 나온 욕도 유일하게 들릴 법 하지 않을까 싶다. 이쯤 되면 떠오르는 영화 한 편이 있다. 많은 이들의 심장을 내려앉게 했을 영화 이재규 감독 〈완벽한 타인〉 이야기이다. 영화를 통해 휴대전화 공유 게임을 보고 난 이들의 의견은 분분했다. 그런데 과연, 실제로 직접 해보자고 제안할 수 있었던 사람은 얼마나 될까.

분명 나 역시 누구에게나 나의 모든 것을 공유하고 드러내야만 한다는 것은 절대 아니다. 나만 알고 있는 비밀 하나쯤은 누구나 있지 않겠는가. 때로는 나 그리고 모두를 위해서도 말이다. 내가 담아두었던 나의 모습이었음에도 그 모습을 알아차리는 순간, 마치 내가 아니었다는 듯 부정하는 이들이 많다. 혹시 떠올림만으로도 나 자신이 부끄러운 모습들이 있다면, 지금도 늦지 않았다. 하루빨리 인정하고 변하려는 노력이 필요할 때 아닐까.

어쩌면 그에 앞서 보고 싶지 않던 나도 나였음을 인정해 줄 용기부터 필요할지도 모르겠다. 만약 지금도 모르는 척 숨기기 바쁜 나의 모습을 발견한다면 이것만은 기억해주길 바란다. 그러다간 정말 나는 누구인지 만나 볼 기회도 사라지고, 나조차 나 자신을 바라보기 싫은 순간이 찾아올 수도 있음을 말이다.

혹시 숨겨둔 모습들 속에 단 한 번도 드러낸 적 없으면서도 남들이 알아주기만을 바라고 있던 나의 모습은 없을까. 때로는 내가 보여준 대로 바라봐주지 않는 다른 시선과 마주할 때면 부정하기 바빠, 차라리 숨기는 게 낫겠다 싶을 때도 있었다. 어차피 타인의 시선은 나의 몫이 아니었음을 잊은 채 말이다. 그렇게 나는 남다른 나를 인정하기 위해 색다른 질문을 던져보기도 하고, 나다운 모습으로 세상을 마주할 기회를 선물하기 시작했다.

인정하기 연습 – 있는 그대로 수용하기

고백한다. 인정하기를 시작하고 난 또다시 아프기 시작했다. 아니 사실 '결국, 모든 것이 다 소용없구나. 인제 그만 다 때려치우자.' 포기하려 한 적도 있다. 예상치 못했던 결과였기에 충격은 더 클 수밖에 없었다. '색깔을 바꾸면 모두 다 행복해 질 수 있다.'라는 제목을 쓰지 못한 이유가 여기에 있다. 나는 그랬다. 분명 있는 그대로 나를 바라봐 주었다고 생각했다. 이제 행복해질 일만 남았을 거라 기대했다. 그런데 내게 보인 건 다른 사실이었다. 어쩌면 지금껏 나는, 나를 위함이라는 핑계로 나를 가장 위험하게 만들고 있었을지도 모른다는 점이었다. 분명 나를 챙겼다. 그러나 생각해보니 핑계와 자기합리화였을지도 모를 칭찬과 사랑, 예쁜 말로만 감싸주며 또다시 텅 빈 나를 포장하기 바빴음을 알아차렸다. 상처받고 싶지 않던 나를 잠시 잊고 있었다. 분명 가끔은 조건 없이 나를 챙김 그 자체가 힘이 될 때도 있다. 그러나 어쩌면 이러한 달콤한 가짜 위로들만이 더해져 나와 나를 더 멀어지게 만들었던 것은 아닐까.

이후 나를 만나는 과정 속, 인정하기를 연습해왔던 두 가지 방법을 소개해둔다. 더불어 그에 앞서 결코 이해가 아닌 인지하기라는 점을 기억하길 바란다. 진정 있는 그대로의 나를 바라볼 용기를 낸 이후에서야, 진짜 변화는 시작되었다.

불편한 나의 모습에 부정하고 싶은 순간이 불쑥 찾아온다. 진짜 나를 만나기 위해서는 그만 피해야 하지 않을까. 해명 따위도 필요 없다. 그저 바라봐주자. 달라지는 것 하나 없어 보일 수 있다. 그러나 한 가지, 해결해내야만 할 것 같았던 나에 대한 고민과 숙제 따위는 사라질 수 있다. 조금 더 익숙해지면 괜스레 쿨한 듯 자신의 솔직함에 반할지도 모른다.

[저 사람 왜 저래 → 나는 저 사람과 참 많이 다르구나]

아무리 이해해보려 애를 써 봐도 도무지 정리되지 않던 타인과의 관계에서도 마찬가지였다. 이해하려 노력도 해본다. 그러나 나 자신마저 원망하게 될 때도 있지 않던가. 그래서 결국, 그저 너와 나의 다름을 인지하기까지만 해주기로 했다. 자신과 타인을 나누고 보니 모든 사람을 용서하고 사랑하며 이해할 이유마저 사라졌다. 참고로 댓글 하나 달기 전, 그저 '다르구나.'로 생각해봐 주면 안될까. 자신도 남들과 다르듯 말이다.

진짜 상처 살펴봐 주기

『애써 피해온 색깔은 없는가』

유독 사용해오지 않았던 색깔은 없었는지, 한 번쯤 생각해보면 어떨까. 어쩌면 그 색깔 속에서 또 다른 나의 이야기를 만나 볼 수도 있지 않을까.

원데이 클래스가 진행되던 날, 처음 만난 수강생은 미소로 인사를 나누자마자 갑작스레 표정을 찡그렸다. "전 이 색깔이 참 싫던데." 앞에 놓인 컴퓨터 키보드 색깔을 보고 있었다. 당시 현장에서 사용되고 있던 키보드의 컬러는 흔치 않은 주황색을 띠고 있었다. 수업하던 중, 흥미로운 사실을 하나 발견했다. "제게는 주황색이 그 사람이었군요." 색깔을 통해 나와 타인 그리고 세상을 만나던 중, 무언가 알아차린 듯 말했다. 주황색은 가족 중에서도 자신에게 가장 큰 상처를 안겨 준 이와 너무 닮아있다고 말이다. 그렇다면 이는 주황색이 싫었던 것일까 아니면 자신의 상처를 피하고 싶었던 것일까. 흔히 오렌지 컬러하면, 상큼한 과일 또는 비타민 음료를 떠올릴 수 있다. 이처럼 생존의 레드와 기쁨의 옐로우가 만나 즐거움이라는 큰 힘을 전해주기도 하지만, 쇼크 또는 트라우마와 같은 부정적인 이슈도 안고 있는 색깔이기도 하다. 사실 나에게도 한때는 애써 피해온 색깔이 바로 오렌지 컬러였다. 이런 사실을 알아차린 후에야 하나둘 오렌지 빛깔을 더해주고 나니, 오히려 매력에 빠진 색깔이기도 하다.

어느 날, 나와 비슷한 경험한 이의 사연을 듣고서야 깨달았다. '어쩌면 나도 피해자였을 수도 있겠구나.' 그제야 알았다. 아프다고 주저앉아 울고만 있었을 뿐, 제대로 내 상처를 바라봐주지 못했던 나의 모습을 말이다. 한번 상상해보자. 길을 걸어가다 내 옆을 지나던 한 사람이 넘어졌다. 무릎이 까져 긁힌 상처에 빨간 피가 흐르기 시작했다. '아이코.' 상처만 봐도 쓰라림에 눈을 질끈, 고개를 돌리게 되진 않던가. 그러니 나의 상처일 땐 얼마나 더 마주하고 싶지 않았으랴 싶기는 하다. 그냥 그렇게 제대로 소독도 하지 않은 채 반창고만 살짝 덮어 두었었으니, 그때의 피는 멈췄겠으나 흉터는 그대로 남아버렸나 보다. 그렇다고, 이미 딱지처럼 굳어버린 상처는 특별히 지금 나에게 불편함을 주고 있지는 않다. 더구나 내가 원할 때면 아파서가 아니라 좀 더 아름다워지기 위해 치료도 해 줄 수 있을 테니 이젠 괜찮다고 해도 되지 않을까. 이 말인즉슨, 이제는 용서 따위가 아닌 오로지 아팠던 나를 바라봐 줄 용기가 생겼음을 말한다.

한때는 나도 용기를 내 나의 상처를 드러낸 적이 있었다. 그때 내가 만난 이들은 하나같이 말했다. "괜찮아. 너의 잘못이 아니야. 시간이 지나면 아무렇지 않은 듯 살아가게 될 거야." 틀린 말은 아니었다. 다만, 호호~ 바람을 불어넣어 주었을 뿐, 어쩌면 제대로 된 약을 바를 시기를 놓쳐버렸던 것은 아니었을까. 목숨을 살리는 응급 순간에도 그에 맞는 치료의 순서가 있듯이 말이다. 생각해보면 그때도 나는 누군가의 처벌 또는 사과를 바라지도 못했다. 오히려 나는 가해자가 되어가고 있었다. 어쩌면, 나는 피해자이자 동시에 나 자신을 가장 아프게 한 가해자가 아니었을까 싶은 생각이 들었다.

사실 나에게는 용서하고 싶은 순간이 따로 있다. 커다란 거울 속, 아픔과 두려움에 떨던 나의 모습을 홀로 바라보게 한 그 순간에 나 자신에게 말이다. 아마도 그 무엇보다 나에겐 나를 지켜내지 못했던 나에 대한 미안함이 가장 컸던 것 같다. '나는 도대체 얼마나 더 아파야 아프다고 말할 수 있는 것일까.' 화를 내며 억울함을 호소해 본 적도 있다. 세상에 존재하는 모든 것을 원망해보기도 했다. 모든 게 불공평해 보였다. 상처 주는 이는 따로 있고, 어쩌면 상처를 받을 사람으로 이미 정해져 태어나는 것만 같았다. 분명 이렇게 상처를 받은 이는 벌을 받고 있는데 정작 아프게 한 이는 이 세상 그 어디에도 존재하지 않는 것만 같은 때, 나에게도 선택이 찾아오더라. 용서할 순 없어도 나 역시 상처를 줄 기회는 남아있지 싶었다. 그것이 나를 더 아프게 하는 것인지 알아차리기 전까지는 말이다.

문득, 궁금해졌다. 나도 모르는 사이 누군가에게 사과할 순간을 놓쳤던 적은 없던가. 나는 평생 피해자이기만 했을까. 깜빡깜빡, 차 한 대가 내 차 앞으로 들어오겠다는 표시를 보내왔다. 나는 그저 속도를 조금 줄여주었을 뿐이었다. 그런데 그 순간, 앞에서는 고맙다는 깜빡이가 들어왔지만 '빵빵' 생각지도 못한 아주 큰 경적 소리가 내 뒤에서 들려왔다. 분명 한순간이었는데 나는 가해자와 피해자가 동시에 되어있었다. 그 순간 생각했던 것 같다. 어쩌면 내가 피해자가 되는 순간 누군가를 가해자로 만들 수도, 그로 인해 또 다른 누군가에게는 내가 가해자가 될 수도 있음을 말이다. 참 나다운 생각이었다 싶지만, 그것이 나에게 있어서는 피해자 그리고 가해자라는 이름에서 벗어날 수 있는 순간이기도 했다. 이제는 오로지 나 자신의 치유에 집중해주고 싶었다. 흉터를 도려내려 할수록 깊어진다면 나 그리고 그 누구에게도, 치료라는 이름으로 또 다른 상처를 주고 싶지 않음이기도 하다. 대신 언제든 더 예뻐지기 위한 기회의 선택도 나에게 있음을 항상 기억한다. 애써 상처를 만들어 살펴볼 필요는 없다. 다만 정작 살펴봐 줘야 하는 상처, 나를 더 빛나게 해줄 색깔을 피하고만 있는 것이라면 나만은 그 이유를 알아차려 줘야 하지 않을까. 천천히 맞이하는 연습이 필요할 수도 있지 않을까 싶을 뿐이다. 그래야 솔솔 불어오는 미풍에도 흔들릴법한 그때, 자칫 타인에게 끌려다니느라 진짜 나를 놓치고 지나칠 수도 있으니 말이다. 누구보다 내가 앞장서 나 자신을 위함은 무엇인지를 제대로 바라봐 줄 수 있길 바란다.

그리고 한 가지, 처음이자 마지막으로 딱 한 번 가해자에게 고한다. 미움도 용서도 나만이 할 수 있는 일이다. 오로지 나에게만 선택권이 있음을 절대 잊지 않길 바란다. 당신이 불리는 이름마저 언제든 바뀔 수 있다. 이러한 사실은 당신의 남은 인생 평생토록, 불안함으로 안고 살아가야만 할 것이다. 그것이 바로 내가 주는 벌이자 기회이다.

과거 현재 미래, 세 가지 색깔 고르기

『시작도 내가 고를 수 있다』

컬러테라피를 경험해 본 적이 있는가.

흔히, 내가 고른 세 가지 색깔은 나의 과거와 현재 그리고 미래를 만나러 가는 길의 신호등이 되어 준다. 빛을 따라 걷는 동안 수많은 물음표와 느낌표가 오고 갈 때면 꼭 한 번은 묻게 되는 질문이 있다. "세 가지 색깔 중에서도 가장 끌리는 색은 몇 번째, 무슨 색깔일까요?" 앞서 말해두지만 어떤 것부터 고르는 것이 가장 좋다는 이야기를 하려는 것은 아니다. 언제나 그러하듯 선택은 답하는 이의 몫이라 생각한다. 다만, 가끔 나에게 권해주고 싶은 색깔을 되묻는 이들도 있다. 이제는 그 질문 속에 담긴, 내가 해줬으면 하는 각기 다른 바람들을 알아차릴 수 있다. 조금만 더 생각할 시간이 필요하다는 메시지를 보낸 이들에겐 기꺼이 기다림의 미소를 지어준다. 그러나 아직은 선택하기 자체를 조심스러워하는 이들도 있다. 평소에도 고르는 것에 어려움을 느끼거나 그 순간의 선택을 자신만이 알고 싶어 할 수도 있지 않겠는가. 그럴 때만큼은 지극히 개인적으로, 두 번째 색깔을 추천하는 편이다. 사실 나 자신을 만나러 가는 길에 그저 동행자가 되어 줄 뿐, 먼저 내 생각을 들려주는 것을 좋아하진 않는다. 그런 내가 조심스럽지만 망설임 없이 두 번째 컬러인 현재를 골라준 이유는 무엇이었을까. 어느 강의장에서 나눴던 하나의 이야기를 함께 생각해본다면 조금은 이유가 설명되지 않을까 기대해본다.

강의장, 앞에 보이는 커다란 화면에 간단한 그림들로 꾸며진 마을 지도 한 장이 채워졌다. 여러 갈림길이 이어진 마을 지도에는 색 색깔 지붕의 집 모양들이 그려져 있고, 그 중 딱 한 곳에만 특별히 별 표시가 되어 있었다. 작은 글씨로 도착이라 적혀있는 것을 본 이들에게는 큰 힌트가 될 것이다. 지도를 보여주며 깜짝 퀴즈 이벤트를 열었다.

"저기 저, 별 표시된 곳까지 가려면 어떻게 가야 할까요? 가장 빠르게 알아맞히신 분께는 반짝이는 선물을 드립니다." 만약, 이 상황 속, 현장에 앉아있다면 나에게 던져야 하는 질문은 무엇일까. 가는 방법을 찾기에 앞서, 반드시 물어봐야 하는 질문 한 가지가 있다. 바로 출발점에 대해서다. "선생님, 어디서부터예요?" 의외로 가장 빨리 물어보는 이들은 아이들이다. 성인을 대

상으로 하는 현장에서는 그 질문이 나오기까지 생각보다 많은
시간이 필요했다. 혹시, 도착지만을 바라보고 있던 것은 아닐까.
무언가 어리둥절함을 느낀 이들마저 묻고 싶어도 '혹시 내가 잘
못 생각한 것은 아닐까, 질문해서 민망해지면 어쩌지.' 싶은 주
변 시선에 망설임만을 선택하고 있었는지도 모른다. 이렇듯 누
구든 어디론가 가고자 하는 도착지가 있다면 반드시 먼저 알고
있어야 하는 것이 바로 출발점이지 않을까.

내가 받는 질문 중에도 대부분 출발점은 알려주지 않고 도착지
에 가는 방법만 알려달라고 하는 이들이 꽤 많다. "대학 가고 싶
은데, 취업하고 싶은데 어떻게 해요?" 갈 수 있다는 막연한 희
망만을 전하기엔 너무 절실한 현실에 사는 이들 아니던가. 만약
정말, 실질적인 해결 가능한 답변을 원하는 것이라면 현실적인
조건들, 현재 점수 또는 갈 수 있는 곳과 가고자 하는 길에 관해
이야기 나눠봐야 할 것이다. 이런 말도 있지 않던가. '언제나 답
은 내 안에 있다.' 어쩌면 질문하는 순간, 이미 답을 알고 있는
이들도 많을 것이다. 확신이 없거나 그저 듣고 싶은 이야기가 있
을 뿐이지 않을까.

"저희 아이가 요즘 자꾸 울어요. 왜 그런 걸까요?" 나도 궁금하다. 그 아이는 왜 자꾸 우는 것일까. 나는 그 아이를 만나본 적이 없다. 그러니, 어떤 상태인지 무슨 상황이었을는지 예상조차 할 수 없다. 오직 아이를 걱정하는 엄마의 시선으로만 만나기에는 자칫 아이의 현 상태를 고려하지 않은 일반적 대답이 가장 위험을 가져올 수도 있다. 오히려 부모의 양육 혼란을 주거나 아무런 죄도, 선택권도 없는 아이를 더 불편하게만 할 수 있기에 더 신중해야 한다. 이렇듯 많은 이들이 현재를 직시하지 않고 오히려 보이지 않는 먼 미래만을 바라보고 답답해하며 현재와 과거마저 불행하게 만들고 있음을 만나 볼 수 있었다. 하고 싶은 것, 해야 하는 것 등의 방법과 순서는 다를 수 있다. 다만, 어디서부터 나를 챙겨야 할지 모를 땐 지금의 나부터가 아닐까 생각해본다. 그래서 나는 두 번째 색깔을 추천했다.

살아온 원인과 살아가고자 하는 이유

첫 번째 그리고 세 번째 색깔은 어떻게 이야기 나눠 볼 수 있을까. 나는 오늘도 물음표로 시작을 알린다.

"보이시나요? 물이 귀한 어느 나라에 신에게 기도를 드리기 위한 신성한 물이 필요했다고 해요. 100일을 꼬박, 새벽이 품고 오는 맑고 깨끗한 이슬을 모으기로 했어요. 한 방울 또 한 방울 드디어 황금 항아리에 한가득 채워지던 날이었지요. 이제는 내가 기도를 드리는 장소로 옮기는 일만 남아있었어요. 그런데 그때 어디서 왜, 무엇인지도 모를 오물 한 방울이 정말 딱 한 방울이 똑 하고 떨어졌어요. 그것도 바로 내 눈앞에서요. 불행 중 다행인 것인지 이 순간, 혼자 있던 나였기에 그 누구도 본 이는 없었지요. 흔들리는 내 눈동자와 두근거리는 내 심장만 빼고요. 만약 나였더라면, 어떻게 했을까요?" 단순한 듯했지만, 예상보다 훨씬 더 많은 대답과 방법이 이어졌다.

— 한 방울이라면서요. 아무도 못 봤다면서, 무슨 상관이에요.

— 그래도 결국 물이 알고 내가 알잖아요.

— 그런데 뭐가 떨어진 거예요? 왜 떨어진 건데요? 혹시 일부러 그런 건 아니죠?

— 차라리 그냥 솔직하게 말하고 조금이라 빨리 버리고 다시 채우는 게 낫지 않나.

— 어찌 모은 물인데 그걸 버려요. 차라리 그냥 두면 점점 넘쳐서 어느 순간 더러운 것도 비워 수 있지 않을까. 다시 채우는 것보다는 오래 걸리지 않을 것 같은데.

– 그걸 어떻게 알아? 그런데 그 오물이 들어가기 전에 물은 진짜 맑은 물이긴 했을까요.

혹시 어떤 의견에 동의하는가. 이럴 땐 문제가 발생한 이유와 문제를 해결할만한 방법 중 무엇부터 살피게 되는지, 결국 이 또한 각기 다른 상황과 입장의 선택이겠지만 한 번쯤 생각해 볼 법하지 않을까. 앞서 시작은 두 번째 고른 색깔인 현재 '지금의 나'를 생각해보았다면 과거와 미래 즉, 지금껏 나를 살아오게 한 원인과 앞으로 살아가고자 하는 이유로 함께 이야기해보려 한다.

시작이라는 선하나

정말 오랜만에 만난 동생이 말했다. "언니, 이제 얼굴에서 살고자 함이 보여요." 그 동생과의 첫 만남을 기억한다. 이러다간 정말 죽을 것만 같아서 드디어 나도 누군가에게 도움을 청하기 시작했던 때였다. 도대체 내가 왜 이렇게 살고 있는지, 슬픔과 좌절을 넘어 분노와 억울함으로 원인이라도 밝혀내고자 나를 찾아 헤맸었다. "전과 달리, 지금은 뭐가 바뀐 거예요?"라는 질문에 나는 대답했다.

"글쎄. 똑같아. 사는 건. 살은 좀 쪘나. 암튼, 현실과 일상이 그렇지 뭐. 그런데 말이야, 이런 생각은 해 본 적 있는 것 같아. 이제 껏 살아온 원인을 찾아야겠다는 핑계로 너무 오래 나를 과거에 만 머물러 있게 한 건 아니었나 싶더라. 그래서 어느 순간, 그런 데도 살아남은 이유가 나에게도 하나쯤은 있지 않을까 생각해 보기로 했던 거지."

그 변화의 시간 동안, 나와 함께해준 것이 바로 컬러였다. 시간 과 장소 불문, 색깔이 있는 곳이면 어디서든 언제나 내가 선택 한 과거와 미래 그리고 현재의 나를 만나는 여행을 다닐 수 있 었다. 그러고 보니 다시금 못 돌아올 것인 양 애써 한 곳에만 머 물러 있을 필요는 없겠구나 싶어지기도 했던 것 같다. 분명 지금 이 순간마저도 궁금증투성이라지만 적어도 과거로 인해 불행한 나만을 바라보고 있거나, 그 누구도 알 수 없는 미래를 앞서 걱 정하며 불안해하고만 있지 않은 나와 마주하고 있지 않던가. 그 것만으로도 나는 동행해준 색깔에 고마워할 이유가 충분했다.

세 가지 색깔 중 하나만 빠져도 그 색깔의 순서와 불릴 이름은 달라질 수 있다. 지금의 내가 있어야 과거가 있고 미래가 있을 수 있지 않은가. 언제나 이렇게 세 가지 색깔, 나의 과거와 현재

미래는 함께하고 있음을 기억해보면 좋겠다. 이 앞장에서는 과거와 함께했다. 그리고 다음 장은 미래를 응원한다. 혹시 아직도 나의 출발은 어디서부터인지 모르겠다 싶을 땐, 속는 셈 치고 나를 한 번 따라 해보면 어떨까. 하나, 예쁜 손가락 하나를 편다. 둘, 내 앞에 선 하나를 그어본다. 허공 또는 책상과 내 손바닥 위, 내가 선택한 곳이라면 어디든 좋다. 그리고 셋, 함께 외쳐보면 좋겠다. 출발!

컬러테라피를 경험하기에 앞서

『셀프치유, 나를 위한 질문은 무엇인가』

색깔로 나누는 책이라 해두고, 사람 그리고 나의 이야기를 먼저 하는 이유는 뭘까. 결론지어 줄 순 없지만, 내가 만나 본 결과는 미리 알려주고 싶었기 때문이다. 앞으로 걸어갈 길이 미로보다는 산책로가 낫지 않겠는가. 어려운 과제가 있다는 것을 알면서도 미소로 미로에 들어가 볼 수 있는 이유는, 나올 수 있다는 확신과 마지막 순간의 종소리를 들어보았기 때문 아닐까. 분명, 사람마다 방법과 걸리는 시간은 다르겠지만, 적어도 내가 겪어 왔던 실수의 시간만큼은 줄여주고 싶었다.

나를 만나고자 세상에 나오고 보니, 생각보다 세상은 친절했다. 그러나 얼마 지나지 않아 그 친절함이 오히려 혼란을 안겨줄 수 있음을 알게 되었다. 나를 만나는 방법, 나를 위한 성장법, 치유법 등 책은 물론 여러 프로그램이나 강의, SNS와 영상자료 등 하고자 마음만 먹는다면 어디서든 쉽게 찾아볼 수 있었다. 사실 진정한 전문가가 되는 길은 멀고도 오래 걸리는 것과 달리, 전문가라 불리기까지는 그리 오래 걸리지 않았다. 내가 가진 자격증만 해도 운전면허 포함 이미 열 개 이상이 되었다. 매번 나에 대해 물었고, 성장하였노라 말해왔으면서도 왜 나라는 자신 하나만큼은 찾지 못해 또다시 헤맸는지, 얼마 전 교수님과의 대화에서 나의 가장 큰 실수를 알아차렸다. 그저 보는 것과 경험해보는 것이 매우 다르듯, 안다고 착각하는 것과 진정 알게 된 것의 차이는 무척 크다는 점을 말이다. 그저 한 번쯤 경험해보았으니 아는 것이 되었노라 위험한 확신을 하는 순간, 자칫 '아무리 해도 모르겠어. 난 역시 안돼.'가 되어버릴 수 있다는 사실을 뒤늦게서야 알았다. 이제라도 알게 된 것 중 하나가 바로, 분명 모든 것에는 배움이 있다는 것이다. 그런데 여기서 더 중요한 것은 '많은 것을 얻으려 하기보다 나에게 맞는 것을 찾아내는 것', 그것이 누구에게나 필요하고 배움에 앞서 챙겨봐야 하는 일이란 생각이 들었다.

지금 여기, 그 수많은 배움 중 하나인 '컬러테라피'라는 색깔을 통한 치유의 경험을 이야기하면서도 마침표가 아닌 물음표를 던지는 이유가 여기에 있다. 자격증 과정이 아닌 책을 먼저 고집했던 이유도 마찬가지다. '아무리 고급 레스토랑의 유명 쉐프 음식을 맛보아도 친구들과 같이 먹는 동네 골목길의 삼겹살이 제일 생각나고, 잔소리라는 양념이 가미된 우리 엄마표 음식이 나에게는 최고의 음식이라 할 수 있는 것과 같다고나 할까.' 적어도 나에게는 그랬다. 그러니 보이는 색깔보다 내가 끌리는 색깔, 그 안에서 느껴지는 자신을 바라봐주길 바란다. 여기서 나누고자 함은 '셀프치유'를 통해 앞으로도 자신의 삶을 이끌어 주길 바라는 것임을 다시 한 번 강조해둔다.

사실 첫 번째 작성된 나의 목차의 모든 문장에는, 마침표가 아닌 물음표가 찍혀있었다. 욕심을 부렸다. 마침표가 아닌 느낌표를 만나게 해주고 싶었기 때문이었다. 그러나 많은 이들의 조언에 따라 나도 조금은 친절해지기로 했다. "질문하는 거 진짜 싫어하는데, 그냥 A는 B라고 알려주는 게 낫지 않을까? 과연, 사람들이 또다시 자신에게 질문하려고나 할까?" 그러고 보니 우리는 하루에도 수십 번, 타인과 자신에게 질문을 던진다. '밥은 먹었니?'부터 시작해서 '오늘은 뭐 입고 나가지!' '내일은 뭐 해야 하더라.' 그런데 한 가지 이렇게 물어보고 싶었다. 매 순간 선택을 앞두고 수많은 질문을 주고받아 오면서 정작 진정 나를 위한 질문을 해 본 경험은 얼마나 될까.

매 순간 물음에 최선을 다해 답해왔고, 그것이 정답이길 간절히 바라던 때도 있었다. 아무리 같은 질문이 또다시 찾아온다 해도 수십 번, 수백 번 다시금 답을 찾아내려 했지만, 결국 내가 내린 결론은 '정해진 답은 어차피 없었구나.'였다. 더불어 답하기에 앞서 정작 나에게 필요했던 질문은 따로 있던 것이 아닐까 싶었다. 어쩌면 피하고만 싶었으나 꼭 만나봐야만 했던, 나만이 건네줄 수 있는 질문이 따로 숨어있던 것은 아닐까. '무슨 질문을 해야 하지.' 여기부터가 나를 위한 질문이 될 수도 있겠다. 만약, 이마저 고민 또는 숙제로 찾아온다면, 바로 이럴 때 색깔의 힌트를 받아보는 것은 어떨까. 무엇이든 재미가 더해지면 효과는 배가 되듯, 색다른 질문 찾기 놀이부터 시작해봐도 좋겠다. 잠시 고개를 돌려 주위를 둘러보자. 나의 시선이 멈춘 그곳, 나에게 보내주고 있는 색깔의 신호가 바로, 나의 셀프치유 연습의 시작을 알리는 셈이 되어 줄 것이다.

질문에 대하여

여기서 한 가지, 실제 상담 또는 강의 등 현장에서 직접, 색깔을 통해 찾아오는 물음과 느낌을 나누는 시간을 함께해보며 알게된 점이 있다. 대답에 앞서 질문에서부터 오류 발생이 흔히 일어나고 있다는 사실이었다. 분명 우리는 나에게 찾아오는 물음 그리고 느낌에 대해 나눠보고자 했을 뿐이었다. 그러나 어느 순간 열띤 토론의 장이 되어버리거나 때로는 그저 한 줄 평인 듯, 발표로 끝나버리는 경우도 많았다. 어떤 이유에서였을까.

어릴 적 노란색이었던 나는, 파란색이 가장 무서웠다. 노란 햇살이 되고 싶었던 나에게 파란 눈물은 감당해내지 못하는 나 자신의 모습과도 같았다. 그런 나는 "왜 우니?"라는 질문이 가장 겁났다. 누구보다 잘 설명해보고 싶었지만, 그 어떤 말로도 표현할수가 없어 울음만 더 해갈 뿐이었다. 아마도 나에겐 결코 답을해낼 수 없는, 가장 어려운 질문이 아니었을까. 어른이 되고서는 "괜찮니?"라는 질문이 가장 아팠다. 시간을 갖고 생각해보고 싶었지만, 이미 정해진 대답만을 재촉하는 것만 같았기 때문이었다. 어쩌면 우리는 이렇게 나의 감정을 온전히 느껴 볼 시간도 충분치 않은 채, 묻고 또 대답하기만 급급했던 것은 아닐까. 그러니 지금껏 수많은 질문을 해왔다고 멈출 것이 아니라 지금껏해왔던 질문 그 자체를 바꿔보는 것은 어떨까. 똑같은 상황을 마주하고도 "다쳤니?" 묻는 것과 "아프니?" 묻는 차이는 무척 클수 있을 테니까 말이다.

대답에 대하여

지난해, 두 번째 공저 출간을 앞두고 상상도 못 했던 말을 내 입으로 내뱉고 있었다.

"안 괜찮아. 진짜 나 안 괜찮다니까." 드디어 외쳤다. '내 안에 이런 모습도 있었다니.' 단 한 번도 마주하지 못했던 내 모습이었다. 글로 소통하는 이들과 모임에서 2017년 첫 번째 공저 이후 2년이지나, 두 번째 신간 준비를 하고 있던 때였다. 그 당시 나의 상태를 색깔로 칠해보면 온통 BLUE였다. 정말 오랜 고민 끝에 나에게는 정말이지 큰 용기를 내어 소식을 전했다. "이번에는 참여하기 어려울 것 같습니다." 그런데 나에게 돌아온 대답은 "괜찮아, 기다릴게."였다. 어찌 그들의 마음을 모를 수 있겠는가. 감동이어야 했다. 그러나 사실, 모든 것이 버거웠던 그 당시의 나에게는, 내 감정에 대한 거절로 다가왔었나 보다. 그때의 내 기분은 출간 이후, 북 콘서트 행사를 모두 마치고서야 하나의 상황으로 비유되어 털어놓을 수 있었다.

"그때, 나는 마치 이런 모습이었어. 오랫동안 참고 참아왔던 내가, 드디어 화장실을 가게 된 거야. 그런데 그 순간, 문밖에서 소리가 들려오기 시작했지. "괜…… 찮아. 편히 해. 기다릴게." '차라리 모르는 척해주지.' 12명의 작가 역시, 비틀비틀 위태로운 모습으로 힘겹게 줄줄이 문 앞에 서 있다는 것을 알아버렸던 거지. 이러지도 저러지도 못하던 그때, 딱 이 순간의 심정과도 같았어." 그때의 나는 위로가 필요한 블루가 아닌, 눈물로 흘려보내기가 필요했던 파랑이었다. '누구보다 괜찮아지고 싶은 건 나 자신인데, 아무리 애를 써봐도 괜찮아지지 않는 나에게 이제는 괜찮은 척까지 하라는 건 너무하잖아.' 몰라주는 이들을 원망할 것이 아니라 괜찮냐는 질문에 정확히 대답했어야 했다. 결국, 어느 날 새벽, 매니저 작가와의 전화통화에서 나는 울부짖고 있었다. "미안한데, 나 안 괜찮아. 진짜 안 괜찮다고. 내가 안 괜찮다니까." 그런데 그 순간 왜 그리도 시원하던지. 지나고 나서 그 순간을 함께했던 작가는 말해주었다. "그 외침을 듣는데, 왠지 모르게 나는 됐다 싶더라. 너도 같이 쓸 수 있겠구나 싶었어." 진짜 대답을 하고서야 진정한 그들의 마음도 만날 수 있었다. 어쩌면 그들은 직접 내가 솔직히 대답할 수 있도록 기다려준 것은 아니었을까.

실제 한 체험행사장에서, 상담을 마친 이가 웃으며 들려준 이야기가 있다. 사실 처음에는 색깔을 고르면 상담을 해준다기에, 어디 한번 잘 맞추나 보자 싶은 생각이 들었다고 했다. 그런데 나와의 대화 속, 자꾸만 스스로 묻고 답하고 있는 자신을 만나보며 신기했노라 솔직한 후기를 들려주었다. 다시 말하지만, 같은 색을 바라보고 있다고 하여 똑같은 느낌과 생각으로 받아들이고 있는 것은 아니다. 색깔만 고르면 모든 것을 다 알아맞히는 것이 컬러테라피도, 컬러테라피스트가 하는 일도 아니다. 만약 컬러테라피 즉, 색깔을 통해 나를 만나고자 한다면 끊임없이 스스로 묻고 또 대답해주길 바란다. 그래야 세상과 타인의 이야기가 아닌 조금 더 내 안의 색깔로 온전한 나의 이야기를 만나 볼 수 있을 것이다.

혹시, 누군가 함께 나누고 계신가요.
색깔을 통한 물음과 느낌을 주고받는 연습을 할 때, 참고해주세요.

판단보다는 생각을 나눠주세요.
(그게 아니지 → 나는 이렇게 생각해)

지시보다는 기회를 전해주세요.
(이렇게 해야지 → 이렇게 해보는 건 어떨까)

잘못보다는 다름을 알아주세요.
(네가 틀렸어 → 나와는 조금 다르구나)

나에게 맞는 목표 설정하기

『색깔을 바꾸면 다시 살 수 있을까』

혹시, 세피아 컬러하면 떠오르는 장소가 있을까. 흔히 흑백 사진처럼 오래된 사진으로 표현할 때 사용하게 되는 흑갈색을 말한다. 다시 말해 추억의 장소의 색깔을 묻고 있다. 나에게 세피아 컬러는 종각역 4번 출구, 젊음의 거리의 티포투가 떠오르는 색깔이기도 하다. 당연히, 각자 추억하면 떠오르는 장소 및 색깔들은 모두 다를 수 있다. 어쩌면 그 순간 들려오던 음악의 색깔이었는지도, 그때 함께했던 사람의 빛이었는지 모르겠으나 분명한 건 우리의 기억에도 색깔이 함께하고 있다는 것이다. 어쩌면 그로 인해 하나의 색깔을 바라보는 것만으로도 미소가 절로 지어지거나, 나도 모를 눈물을 흘리게 되는 것은 아닐까.

몇 년 전, 피부과에서 켈로이드라는 진단을 받았다. 사실 이에 대해 여전히 그저 사라질 수 있는 흉터로 생각하시는 분들도 있으나, 그 어떤 이름으로 불리건 결국 나에게는 똑같은 상처였다. 그나마 다행인 건 숨길 수 있는 등 뒤편에 자리 잡고 있다는 것이다. 나 역시 평소에는 잊고 살 때도 있다. 그러나 보이지 않는다고 해서 아프지 않거나 불편하지 않다는 것은 아니다.

어릴 적부터 엄마를 따라 목욕탕 가기를 좋아했던 나였다. 그런데 이제는 애써 가고 싶어지는 곳은 아니게 되었다. "어디서 뜸떴어요?" 할머님과 어머님들의 넘치는 관심 속, 잦은 질문들에 대답하기 귀찮아진 걸까. 처음에는 극복해야 한다고만 생각했다. 누가 뭐라 해도 괜찮을 수 있어야 이겨내는 것이라 여겼다. 괜찮은 척하면 진짜 괜찮아질 수 있을 거란 오만함을 부렸다. 하지만 앞서 나는 극복자가 아닌 생존자라는 표현을 쓰지 않았던가. '응, 나 안 괜찮아.' 알아차리는 순간, 일부러 마주하려 하지도, 그렇다고 굳이 피하려고도 하지 않기로 했다. 어쩌면 나에게 목욕탕 역시, 생각만으로도 따뜻해지고 편안해지는 세피아 컬러였는지도 모른다. 그러나 그 추억을 지우거나 바꿀 수는 없지 않은가. 그래서 나는 그 기억의 색깔을 바꿔보기로 했다. 이제 나에게는 그저 오래된 흑백의 사진처럼, 스쳐 지나갔을 무수히 많은 장소 중 하나로 남겨두기로 했다. 극복도 포기도 아닌 나는 그저 새로운 선택을 했다.

자신과의 만남은, 평생 해야 할 운동과도 같다.

끊임없이 선택의 순간은 찾아온다. 분명 선택을 할 것인지 또는 하지 않을 것인지, 그 자체 역시 나의 선택으로 이뤄진다. 다시 말해, 이번 기회를 통해 나를 진짜 만나볼 것인지에 대함도 나 자신의 선택에 달려있다는 말이다. 많은 이들이 '이번만큼은 제대로 진짜인 나를 만나봐 주리라.' 굳게 다짐한 모습으로 '나를 만나는 시간'을 함께 하고자 찾아온다. 이 넓은 세상, 수많은 이들 중 나 한 사람을 만나러 오기까지 이미, 얼마나 많은 애씀이 있었을까. 한 가지, 진짜란 내 안의 있는 그대로의 모습을 말한다. 그렇다면 여기서 가짜란, 애써 만들어진 모습이라 할 수 있을 것 같다. 분명, 이 가짜를 불안해하면서도 즐기는 이들도 있었다. 어쩌면, 가짜에 익숙해져 그 모습이 진짜 나인 것처럼 살아가는 이들이 대부분일지도 모른다. 그렇다고 가짜는 참인 것처럼 꾸민 것일 뿐, 이 또한 나 자신이 아니란 말은 아니다. 다만, 내 안의 나를 알면 더 다양한 나의 모습을 만들어 낼 수도 있지 않을까. 하얀 도화지 위에, 나의 모습 또는 한 편의 삶을 그리려 한다고 생각해보자. 나의 팔레트의 색깔부터 살펴봐야 하지 않겠는가. 그래야 원하는 색깔로 칠하고 또 다른 색깔을 만들기도 하며, 부족한 색깔이 있다면 새롭게 채워나가기도 할 수 있을 테니 말이다. 진짜 내 안의 색깔을 모두 다 알고 있다고 자신할 수 있는가. 보이는 색깔에 묻혀있을지도 모를, 진정 나를 빛내주고 있는 나의 색깔들이 궁금하지 않은가.

시작은 좋았다. 그러나 마침표가 아닌 끊임없이 찾아오는 물음표와 마침표 사이에서, 다시금 포기를 외치거나 빠른 결론을 내려버리려 하는 안타까운 이들이 훨씬 많았다. 마치 매년 새해, 새 일기장을 구매하는 것과도 같아 보였다. 한 달에서 길어야 3개월쯤, 예쁘게 꾸며주다가 어느 순간 어디 뒀는지도 모른 채 살아가게 되는 모습과도 닮아있었다. 누군가 말했다. "선생님이라는 사람 그 자체를 잘 몰랐다면, 아마 나를 포기했거나 선생님을 원망했을지도 몰라요." 프로그램은 단 몇 시간에 불과했지만, 끊임없이 묻고 또 나누며 함께 해온 시간이 1년쯤 흘렀나 보다. 그동안 내가 해 줄 수 있는 것은, 그 답을 만날 수 있도록 물음과 느낌을 주고받으며 동행해주는 것밖에 없었다. 사실 나에게도 한 줄의 단답형이 편했지 않았을까. "선생님은 보라색이에요. 그러니 앞으로 명상이나 기도하며 살아가세요." 어쩌면 서로에게 가장 편한 답이었을지도 모른다. 그로 인해 진짜 나는 만났을지 알 수는 없지만 말이다. 결코, 내 생각만이 담긴 대답으로 애써 만들어진 나를, 오로지 진짜라 믿고 살아가도록 할 순 없었다. 나 자신이 내린 답이 아니라면, 또다시 혼란을 겪을 것은 뻔했기 때문이다. 내가 아닌 타인에게 자신에 대한 해답을 끊임없이 묻고 있다는 건, 아직 진짜 나를 만나지 못했음을 말하고 있는 것은 아닐까. 그렇게 1년을 지나고서야 웃으며 말했다. 지금껏, 왜 해답이 아닌 나만의 답을 찾길 묻고 또 바랐는지 이제는 알 것 같다고 말이다.

다시 말하지만, 나 자신과의 만남과 대화는 평생 해야 할 운동과도 같다. 오늘부터 운동을 시작했다고 하여 당장 내일 아침, 깜짝 놀랄만한 모습으로 바꿔주진 않는다. 이어진 훈련에 새로운 변화를 맞이하게 되었다 하더라도, 잠시 또 내려놓는 순간 갑작스레 요요현상이 찾아올지도 모른다. 눈으로 확인 가능한, 보이는 나의 몸에 대한 변화를 만나보는데도 이러한 많은 시간과 훈련이 필요하건만, 어찌 보이지 않는 내 안의 나를 반짝 잠깐의 애씀으로 나를 만났다 말하며, 끝마침을 하려 하는가.

나에게도 색깔을 통한 나와의 만남은 평생 해나가야 할 숙제일지도 모른다. 단, 운동과 마찬가지로 무조건 강하게 오랫동안 열심히 한다고만 해도 좋은 것은 아니지 않던가. 나의 건강 상태 및 상황 등에 따라 맞춰 목표를 설정하고 그에 맞는 운동법, 나와 만나는 방법을 찾아야 할 것이다. 그러니 내가 나누고자 하는 컬러 테라피 역시, 그저 생소한 하나의 학습 분야가 아닌 일상에서 자연스레 함께하는 나를 챙김이 되어주면 좋겠다.

색깔로 얻는 힘

색깔을 통해 나를 만나 본 적 있나요

일상 속, 색깔이 주는 힘

『나도 모르는 사이, 색깔은 주문을 걸고 있다』

색깔을 만날 수 있는 곳은 어디일까. 잠시 고개만 돌려보아도 언제나 색깔에 둘러싸여 있었음을 알아차릴 수 있다. 언제부터 어떤 이유로 그 자리에 있었는지 생각해본 적은 있는가. 분명 모든 것에는 이유가 있을 테니 말이다. 봄맞이하기 위해 골랐던 연두색 커튼은 새로운 시작을 알리는 나의 의지가 담겨있었다. 깔끔하게 보이기 위해 마련했던 하얀 셔츠도 옷장 속 하나쯤은 걸려있지 않을까. 사랑을 고백하기 위해 골랐던 빨간 장미. 말로 표현하기 어려웠던 우정의 마음은 노란 장미가 대신해줄 때도 있다. '나는 색깔이 좋았던 걸까. 색깔을 통해 나를 만나는 시간이 좋았던 것일까.' 내가 알아차리지 못하는 순간에도 색깔은 함께해주었다고 생각하니 고마우면서도 궁금해졌다. 도대체 어떤 이야기가 담겨있을까. 어쩌면 나보다 더 나를 잘 기억하고 있을지도 모르겠구나 싶은 생각에, 색깔에 말을 걸기 시작했다.

빨간색 패스트푸드점과 초록색 소주병에 담긴 색깔 이야기를 들어본 적 있는가. 컬러에 대한 스터디 또는 강의를 들어보았다면, 가장 쉽게 만나볼 법한 흔한 이야기이다. 강의장 하얀 화면, 아무런 글자가 적히지 않은 초록색 병 사진 한 장이 띄워졌다. 그러자 모두가 말없이 그저 허허 웃음 짓기 시작했다. 이미 내가 하고자 하는 이야기를 알아차린 이들도 있었다. 사실 이미지가 아닌 초록색 병 네 글자만 보아도 떠오르는 것이 있지 않던가. 분명 대상에 따라 그림을 사용하지 않는 곳도 있다. 그저 초록색 병 하나 보는 것만으로도 불편해하는 이들도 있기 때문이다. 그만큼 누구나 쉽게 떠올릴 수 있었던 초록색 병으로는 어떤 이야기를 나누었을까.

"소주병은 왜 대부분 초록색 병을 사용했을까요?" [신선하다. 맑다. 속 시원하다. 얘만은 내 편인 것 같아서 찾게 된다. 한 잔 더 해도 될 것 같다.] 요즘 레트로 감성으로 돌아온 유리 자체의 색깔 또는 맛에 따른 컬러풀한 병들도 많이 보인다. 그러나 역시 소주병 하면 초록색이었지 않던가. 재활용을 위한 공병 공용화로 한 색깔만을 사용해왔다고 하지만, 어느 한 회사가 병 색깔을 바꾼 이후 판매율이 급증했다는 소식에 모든 회사가 초록색으로 사용하게 되었다는 이야기도 있다. 어찌 되었건 나를 위로해주는 것만 같다는, 마음을 편안하게 해주는 초록색의 영향력이 마케팅 효과로 사용되었음은 알 수 있을 것 같다.

"그렇다면 패스트푸드점들은 왜 하나같이 빨간색을 활용할까요?" [맛있어 보인다. 자극적이다. 간편히 먹을 수 있다.] 여기서 가장 중요한 포인트는 바로 "빨리 먹고 빨리나가"라고 할 수 있다. 예쁘게 말해서, "다음 사람을 위해 빨리 자리를 비워주세요."라고 직접 말하지 않아도 빨간색이 메시지 대신해주고 있다는 것이다.

한 국내 다큐멘터리 프로그램에서는 빨간색 방과 파란색 방, 두가지 다른 색깔의 방을 꾸며두고 각 방에 10명씩 참가자를 들어가도록 하였다. 이들은 모두 20분이 되었다고 생각되면 언제든 방에서 나오면 된다는 미션을 받았다. 당연히 방 안에는 시계는 물론 그 무엇도 놓여있지 않았다. 사실 앞서 빨간색 패스트푸드점의 이야기를 공감한 이들은 이 실험 결과 역시 쉽게 예상할 수 있었을 것이다. 실험 결과, 각방에서 나온 평균 시간을 살펴보니 파란색 방 24분에 비해 빨간색 방은 16분으로 확실한 차이를 살펴볼 수 있다. 그만큼 빨간색은 불안 또는 긴장감을 더해주어 시간이 빠르게 지나간다고 느끼게 한다는 것을 다시금 확인할 수 있다. 아마도, 차분히 자리에 앉아 집중력을 발휘해야 하는 학교에서 빨간색을 찾기 어려운 이유도 바로 여기에 있지 않을까.

단, 모든 색깔이 전 세계적으로 누구에게나 똑같은 영향력으로 발휘하고 있다고는 할 수 없을 것이다. 멀리 갈 필요도 없이, 사계절이 변하는 우리나라 안에서의 내 경험만으로도 알 수 있었다. 어릴 적, 인천에 살던 나는 따뜻한 남쪽 통영으로 전학을 다녀온 적이 있다. 겨울방학이 되면, 다시금 인천에 사는 이모 댁에 올라와 눈싸움할 수 있었다. 분명 불과 몇 시간 전, 내가 살던 통영의 우리 집 앞에는 노란 개나리꽃이 만발하고 있었을 때였다. 이사를 하였을 뿐, 같은 색깔의 세상을 살아가고 있다고 생각했었건만, 이후 나의 겨울 색깔은 달라져 있었다. 하얗게 뒤덮인 세상을 두 눈으로 보고 또 느껴보지 않은 이들에겐 하얀색을 눈이라는 결정체로 가장 먼저 떠올리기란 절대 쉽지 않을 것이다.

사실 나는 컬러 공부를 시작할 때, 깨끗하고 순수한 색깔의 하얀색은 누구나 좋아한다고 생각했다. 그러나 얼마 지나지 않아, 오랫동안 병실 생활을 해왔던 환우 분들과 가족들을 만나며 누군가에게는 가장 무섭고 불편한 색일 수도 있음을 깨달았다. 그래서일까. 요즘, 병원 내 환경과 의상들의 색깔에도 변화가 찾아온 모습도 볼 수 있다. 그러니 항상 색깔을 바라보는 시선에도 남다름이 함께하고 있음을 알고 마주해주면 좋겠다.

컬러는 내게 있어 무척 사랑하고 소중한 존재라지만, 항상 주체는 나 자신이 되어야 함을 강조한다. 그렇다면 지금 이 순간, 색깔은 나에게 어떤 주문을 걸고 있는 것일까. 아직 잘 모르겠다고 답하는 것이 당연할지도 모른다. 하나, 그저 색깔이 걸고 있는 주문, 나에게 주고 있는 힘이 있다는 것을 알게 된 것만으로도 앞으로 바라볼 세상의 시선은 좀 더 색달라 질 수 있지 않을까 희망해본다.

색깔과 만나는 연습

『나를 챙김의 시작은 나부터이다』

"어머, 선생님 어떻게 아셨어요?"

가끔 나는 누군가의 과거와 현재 그리고 미래까지 알아맞히는 신통방통한 능력자가 되곤 한다. "저에게 방금 색깔로 보여주셨 잖아요." 항상 하는 고백이지만 대답은 자신만이 하고 있다. 그 저 나는 색깔을 통해 자신에게 보내는 메시지를 만날 수 있도록 색다른 질문을 드리는 것뿐이다.

아주 단순한 예를 한 가지 들어보자. 평소 점심을 같이해오던 동 료가 유독 빨간 음식을 찾을 때, 흔히들 이렇게 묻곤 한다. "요즘 스트레스받는 일 있어? 왜 그렇게 빨간 음식만 찾아?" 몸이 지 칠 때, 흔히들 매콤한 음식들이 끌리지 않던가. 붉은 색깔은 먼저 눈과 코를 자극하고 입맛을 돌게 하여, 빠르게 손이 닿도록 해준 다. 혀끝으로 맛을 보는 순간, 아드레날린 호르몬을 분비시켜 땀 을 흘리게 하고 뜨겁고도 매운 음식이 오히려 시원함을 느끼게 해주는 경험도 해봤을 것이다. 우리 몸은 매운맛을 통증으로 느껴, 이 통증을 막기 위해 엔도르핀 호르몬이 찾아와 스트레스 해소를 시켜주는 느낌을 전해주게 된다고도 한다. 이렇게 어느 때나 찾아와 영향력을 행사하고 있는 색깔을 좀 더 잘 알고 있다면, 색깔이 주는 메시지를 조금 더 쉽게 빨리 알아차릴 수 있지 않을까. 나를 알고 색깔을 알면, 색깔을 통해 보내오는 신호에 좀 더 적절한 질문을 던져 볼 수도 있을 테니 말이다. '아 답답하다. 어디론가 떠나고 싶다.'를 외치게 될 때면 초록빛 가득한 산, 파란 바다와 하늘의 시원함을 찾아 자연으로 떠나고 싶어지지 않던가. 이를 앞으로는 거꾸로도 한번 생각해보면 좋겠다. 유독 초록색이 자꾸만 눈에 들어올 때, 나 자신에게 물어보면 어떨까. '나의 마음을 답답하게 하는 일은 무엇일까. 나만의 휴식이 필요하다는 거구나.' 알아차려 주는 것만으로도 색깔을 통한 나를 챙김은 이미 시작된 것이다.

컬러테라피스트, 상담사 등의 전문가들이 해주는 역할은 분명 따로 있다. 다만, 누구든 타인을 만나기에 앞서, 자신을 한 번 더 마주해주고 내가 나에게 보내는 메시지를 봐줄 수 있다면 가장 좋지 않을까. 언제든 어디서든 색깔은 내 곁에 있다. 색깔과 만나는 연습은 이미 나와 글로 마음으로 함께 시작하지 않았던가.
이제부터 내 안의 신호등이 고장 나지 않도록 살펴줄 수 있었으
면 좋겠다. 나의 신호등으로 타인 그리고 세상마저 바꿀 수도 있
음을 기억해주길 바란다.

색깔은 눈으로만 보는 건가요.

색깔과 만나는 연습에 관해 이야기할 때면, 자주 들려주는 에피
소드가 하나 있다. 3년 전, 생방송으로 진행된 라디오 인터뷰에
서의 일이다. 차에서 듣던 김영철의 파워FM 라디오에 한 통의
사연을 보냈다가, 우연히 컬러테라피스라는 직업을 소개할 기
회가 찾아왔다. 아주 짧은 시간이었지만, 컬러테라피에 대해 좀
더 많은 이들과 나눌 수 있다는 것만으로도 무척 설레었다. 드디
어 생방송 20분 전, 작가님께 전화가 걸려왔다.
"선생님, 어쩌죠. 오늘 방송에서 절대로 '색깔' 이야기는 하시면
안 됩니다." 이것이 생방송의 묘미던가. 분명 오늘 소개하기로
한 나의 직업은, 다름 아닌 컬러테라피스트였다. 색깔에 관한 이
야기를 하지 않고서, 어찌 소개해야 할지 막막했다.

결국, 그렇게 시작된 철업디와의 인터뷰는 아주 간단히, 어느 곳에서 어떤 분들을 만나고 있는지 정도로만 나눌 수 있었다. 색깔 이야기, 왜 하면 안 되는 것이었을까. 평소 강의장에서는 퀴즈로 전하고 하는데 혹시, 2017년 떠오르는 날짜 하나가 있을까. 2017년 5월 9일, 바로 대통령선거 날이었다. 예를 들어 내가 만약 "김영철 씨는 혹시 자신을 어떤 색깔이라 생각하시나요. 빨간색은 도전적이고 행동력이 빠른, 열정의 색깔입니다. 그러니 누구보다 추진력이 뛰어난 리더십을 발휘해내는 힘의 색깔이라할 수 있지요."라고 전했다고 생각해보자. 이로 인해 빨간색 하면 떠오르는 한 후보를 지지 또는 영향력을 행사할 수 있다는 이유에서였다. 무척 아쉬웠지만 분명 이유는 그럴법했다. 덕분에 나는 또 하나를 깨달았다. '색깔은 떠올리는 것만으로도 영향을 주는구나.' 색깔은 눈으로 보는 것만으로 만날 수 있는 것이 아니었음을 말이다.

생각해보니 그런 이유로 나는 일 년에 한 번쯤, 종로 북촌에 있는 〈어둠 속의 대화〉를 찾아간다. 내 블로그에도 소개된 바 있으나 이곳만큼은 자세한 정보를 공유하지 않았다. 혹여나 소개해둔 정보들이 검색된다고 하더라도 진정 느끼고 싶다면, 그 어떤 내용도 보지 않고 직접 가보길 추천한다. 단, 빛이 없는 제한적인 공간이기에 폐소공포증 등 참여 가능한 대상은 꼭 살펴보길 바란다. 내가 소개할 수 있는 건, 시각을 제외한 모든 감각을 깨워준다는 점이다. 그러나 나는 그 안에서도 색깔을 보았다. 정확히 얘기하자면 파장이라 할 수 있을 것이다. 눈으로만 마주했던 사람들의 목소리만으로도, 충분히 전해주는 빛을 느낄 수 있었다. 색깔이 아름답다지만 가끔은, 눈을 감지 않고서는 그 어디에서도 피할 길 없는 색깔 천국에서 벗어나 어둠을 찾아갈 때가 있다. 어쩌면 나는 그 안에서 눈으로 보지 못했던 나의 색깔들을 느끼고 돌아오는 시간인지도 모르겠다. 이렇듯 나의 깨어있는 감각의 모든 곳으로, 색깔과 만나는 연습을 해봐도 좋겠다.

보이는 컬러의 속마음 [의]

『내면 챙기기와 외면 가꾸기』

흔히 컬러에 관한 직업이라 하면, 퍼스널 컨설턴트 또는 이미지 컨설턴트를 먼저 떠올리는 이들이 많다. 요즘은 나만의 퍼스널 아이덴티티 찾기를 직접 경험해보신 분들도 많을 것이다. 전문적인 진단을 통해 나의 피부 색조에 맞은 화장법은 물론, 헤어와 패션, 뷰티 등 안내받을 수 있다. 더불어 나이와 직업, 나에게 어울리는 이미지 등을 분석하여 의상 및 연출법 그리고 표정과 자세 말투까지도 변화를 줄 수 있다. 이렇듯 자신이 꿈꾸던 이미지로 변화하는 것을 실현하게 해주는 전문가들도 있다. 사실 나 역시, 패션디자인을 전공했었기에 컬러를 공부하며 가장 먼저 다가갈 수 있던 길일 수도 있었다. 그러나 나는, 화려하게 꾸며주던 외모보다 꼭꼭 숨기기 바빴던, 보이지 않는 내 안의 모습에 먼저 집중하기 시작했다. 분명 내게도 누구에게나 한 번쯤은 있다는 리즈 시절이 있었던 것 같기도 하다. 출중한 미모는 아니었지만, 누군가에게 '이상형입니다'라는 소리도 듣던 때도 있었으니 말이다. 그땐 나름, 나를 꾸미고 챙겨왔다고 생각했다. 그러나 나의 내면에 집중하는 동안 나는, 예전과는 다른 외모로 변해있었다. 생각해보니 오히려 나는 외모에 관한 관심을 애써 외면하려했던 것 같기도 하다. 지금껏 '나를 챙김'에 있어, 외모 가꾸기가 빠져있음은 분명했다. 무슨 이유에서였을까.

〈외모는 자존감이다〉 작가이자 소울 뷰티 디자인 대표이신 김주미 선생님을 뵙게 되며, 그제야 이에 대한 질문에 스스로 답해 본 적이 있다. 생각해보니, 내 외모를 보고 예쁘다는 이야기를 들었을 시기의 나는 불행함이 앞섰다. 오히려 예쁘다고 말해준 사람들에게 받은 상처들이 가장 크고 깊었다. 마치 겉으로 보이는 모습이 빛날수록, 내 안은 어둠으로 깊어지는 것만 같았다. '왜 보이는 것에 얽매이는가. 나만 나를 사랑하면 되는 거지. 내면을 알아봐 주는 사람들이 있을 거야.' 그로 인해 나는, 외모 관리란 사치이자 치장으로 오해했던 사람 중 한 사람이 되어버렸다. 어느 순간 지나고서야 알았다. 불편한 타인의 시선에서 벗어나고자 했을 뿐인데, 오히려 나 자신마저 나를 보고 싶지 않도록 만들어버리게 된 셈이었음을 말이다. 〈외모는 자존감이다〉 책에서는 이렇게 말한다. 외모 관리란, 내가 원하는 나를 찾는 과정이

자 내 삶에 대한 존중이라고 말이다. 진정한 이미지 메이킹은, 자신이 원하는 이상적인 상에 가까워지도록 내면과 외면을 함께 가꾸어 일치시키는 것, 그래야 진짜 자신이 바라는 그 사람이 될 수 있다고 안내해준다. 이러한 이유로 보이는 컬러-이미지 코칭에 대한 부분은, 내면 챙기기와 더불어 외면 가꾸기도 함께 성장해 나아가실 분들을 위해 이 한 권의 책 추천으로 대신하려 한다.

어떤 색깔로 보이고 싶은가

보이는 컬러의 속마음을 들여다본 적 있는가. 지금 당장, 옷장의 문을 열어 그 안에서 보이는 나를 만나보자. 거울 속 나의 표정과 눈빛에서도 새로운 이야기를 만나 볼 수도 있을 것이다. 만약, 누군가에게 나를 선물로 전한다면 어떤 색깔로 포장하고 싶은가. 여기서 포장은 거추장스럽거나 가리기 위함이 아니라, 진짜 나를 만나기 전에 기대하게 하는, 설렘을 주는 시간이라 해두자. 귀한 선물일수록 포장도 정성껏 예쁘게 해주지 않던가.

분명 보이고자 하는 색깔, 그에 따른 모습은 의상 색깔만이 아닌 표정과 눈빛, 자세와 말투까지 모든 것이 달라져야 할 테지만 우리는 지금 의식주에 '의'에 대한 색깔 이야기를 나누고 있지 않은가. 그러니 여기서 만큼은 사람과의 만남에서 가장 먼저 눈에 들어오는 '보이는 컬러' 옷 색깔에 관한 이야기를 나눠보려 한다.

혹시, 엘리자베스 2세 여왕의 패션컬렉션을 본 적 있는가.
상·하의는 물론 모자와 투명한 우산의 테두리 색깔까지도 한 컬러로 매치시킨 모습을 쉽게 찾아볼 수 있다. 검색해보는 순간, 친절하게도 여러 가지 색깔의 모습을 한 장으로 모아둔 자료들도 많이 있다. 이를 통해 어떤 색깔을 입느냐에 따라 한 사람이 얼마나 다른 느낌으로 보일 수 있는지, 간접적으로나마 경험해 볼 수 있다. 지금부터는 실제 어느 강연장에서 수강생들과 함께 나눴던 대화 내용을 담아두었다. 함께 대화에 참여해보면, 색깔에 따른 연상 이미지 또는 어떤 느낌으로 바라보는지 만나볼 수 있을 것이다.

"정말 오랜만에 동창회 모임을 나가야 하는데, 무슨 색깔 옷을 골라 입어볼까요. 혹시 어떤 모습으로 보이고 싶으신가요. 한 번 상상 속에서 색깔을 입어보기로 할까요. 마침, 저기 저 멀리서 오

랜만에 나온 동창이 문을 열고 들어옵니다. 가장 먼저 보이는 것
은 무엇일까요?" 표정? 헤어스타일? 명품 브랜드? 사실 반가
운 표정에 앞서 저 멀리, 의상 또는 소품 등의 형체와 더불어 빛
으로 보내고 있는 색깔들이 가장 먼저 다가올 수 있습니다." 가
장 쉽게 흔히 나누게 되는 '빨주노초파남보 핑크'까지 여덟 가
지 색깔의 옷을 입고 상상 속 동창회 모임을 다녀와 보기로 했다.

"자, 빨간색을 입고 온 친구는 어때 보이나요?"

"나 아직 쌩쌩해." 건강한 모습을 느끼게 해주는 색이라 말한다.

"그럼, 주황색 컬러가 눈앞으로 점점 다가온다면 어떨까요?"

"즐기면서 살고 있다고 보여주고 싶은 거 아닐까요."

"개나리, 병아리와 같은 노란색은?"

"나 귀엽지? 어려 보이지." 동안을 강조하게 되는 색이라 입을
모았다. 초록색의 옷은 왠지, 별문제 없이 편하게 사는 모습으로
보일 것 같다고 예상했던 대답이 들려왔다. 그러나 다음에 이어
진 파란색에서는 조금 색다른 반응도 만나 볼 수 있었다. "나 일
해. 경제 능력이 좀 있지."라는 표현을 대신하는 것 같다는 대답
도 있었다. 더불어 좀 더 짙은 네이비, 남색의 경우 "나 아직 힘
있는 사람이야."라며 무시하지 말라는 암시적 메시지가 담겨있
는 것 같다는 의견이 이어졌다. 가장 높은 선호도를 보인 색깔 중

하나인 고급스러워 보이는 컬러, 보라색은 보이는 것 역시 우아함과 고귀함 등 가벼워 보이고 싶지 않은 모습을 담고 있다고 말했다. 가장 사랑스러운 핑크 컬러는 "나 여전히 소녀 감성이야." 사랑받고 살고 있음을 보여주는 것 같다며 상상만으로도 웃음 가득한 현장을 함께할 수 있었다.

이 말은 지겨워질때도 되지 않았는가. 다시 말하지만, 사람마다 느끼는 색깔의 이미지에 따라 분명 또 다른 대답들을 만나 볼 수 있을 것이다. 예를 들어 빨간색 하면 매혹적인 장미를 떠올리는 사람과 버럭이를 떠올리는 사람과는 다르지 않겠는가. 더구나 같은 빨간색이라 하더라도 나에게 어울리는 톤과 색감 등에 따른 차이도 분명 있을 것이다. 자칫, 어울리지 않는 탓에 촌스럽거나, 동안이 아닌 애써 어려 보이고자 하는 유치한 모습으로 보일 수 있기에 조심할 필요가 있겠다는 이야기도 덧붙였다. 내가 보이고 싶은 색깔과 나에게 어울리는 색깔 그리고 나에게 힘이 되는 컬러를 모두 알고 활용해볼 수 있다면 가장 좋지 않을까. 외면의 아름다움과 내면의 힘을 이렇게 색깔로도 만나고 또 전할 수 있다.

컬러인터랙터의 입는 색깔

"선생님, 일부러 하얀색 옷 입으셨군요."

5주 차 수업이 진행되던 날, 한 수강생이 다가와 알아봐 주었다. 컬러테라피스트로 강의를 시작했던 처음의 나는 컬러테라피스트로 보이고 싶었다. 이 말인즉슨, 무엇보다 컬러테라피스트 이현영을 바라봐주고 기억해주길 바랐기에 컬러테라피스트 같은 모습을 보이려 애썼던 나였다는 것이다. 그래서였다. 강의 초창기의 나의 모습을 보면, 의상의 컬러가 화려한 편이었다. 사실 많은 강사를 보면 대부분 신뢰감을 높여주는, 모던하고 베이직한 컬러의 정장들을 입은 모습들이 많았다. 그러나 나는 연보랏빛 원피스부터 샛노란 블라우스, 빨간색 스커트와 구두 등 흔히 쉽게 입지 않을 법한 색깔들로 가득했다. 그러나 어느 날부터인가 나는 나에게서 색깔을 빼기 시작했다. 이렇게 한번 생각해보자. 강의 시간, 나는 매번 같은 질문을 던진다. "나의 색깔은 무슨 색입니까. 앞에 보이는 색깔 중, 가장 눈에 들어오는 색깔을 골라보세요." 과연, 그 앞에 서 있는 나의 빨간 원피스가 과연 아무런 영향을 주지 않을 거라 말할 수 있을까. 프로그램을 시작할 때, 언제나 드리는 내용 중 하나이기도 하다.

색깔을 통해 나를 골라보는 이 시간, 주변 환경과 사람들, 분위기, 소리와 공기마저 영향을 주고 있다고 할 수 있기에 온전히 나 하나만 보기 쉽지 않을 수 있음을 안내한다. 물론 나 역시, 어떤 색깔로 보이고 싶으냐에 따라 의상 색깔에 변화를 주기도 하지만, 컬러테라피 진단으로 상담이 진행되는 날만큼은 최대한 하얀색 또는 베이직한 컬러를 골라 입는 편이다.

혹시, 지금 나의 옷 색깔은 어떤가. 어쩌면 오늘 내가 선택한 옷과 머플러, 액세서리, 아이섀도와 립스틱 색깔들까지, 나 그리고 타인에게 전하는 메시지의 힘이 생각보다 훨씬 클 수도 있음도 기억해보면 좋겠다. 오늘은 어떤 색깔로 보이고 싶은가. 만약, 사랑을 고백하는 날이라면 내가 좋아하는 색깔만을 고집할 것이 아니라 사랑하는 사람이 좋아하는 색깔로 나를 포장해보는 것도 좋지 않을까. 상대가 좋아하는 향기를 더했을 때 한 번 더 시선을 끌게 하는 것처럼 말이다.

먹는 컬러와의 연결고리 [식]

『 나에게 필요한 컬러 푸드 』

언젠가부터 웰빙이라는 단어가 찾아와 힐링 붐을 일으키고 컬러푸드에 대한 이야기가 쏟아져 나오기 시작했다. 이와 관련되어 2006년 발행되었던 국민 건강주치의 이승남 원장이 제안하는 <알록달록 컬러 다이어트> 책이 이미 오래전부터 나의 책장에 꽂혀있었다. 사실 아마도 그때의 나에게는 컬러라는 단어보다 분명, 다이어트라는 네 글자가 먼저 들어와 골랐던 책이 아니었을까 싶다. 다시 살펴본 책의 내용에 따르면 보기 좋은 떡이 맛도 좋다는 말이 있듯, 이왕이면 때깔 고운 음식들이 건강에도 좋다고 안내하고 있다. 또한, 형형색색의 식품을 통해 식물의 색을 결정하는 비밀 성분인 피토케미컬을 섭취하면 건강에 이로울 뿐 아니라, 바라보기만 해도 건강에 유익하다는 내용도 만나 볼 수 있었다. 그렇다면 이쯤에서 누군가는 궁금증을 참지 못하고 물음을 던지고 있을지도 모른다. "그러니까. 무슨 색 음식이 좋다는 건가요?" 이를 위해 먼저, 우리 몸에 도움을 주는 컬러푸드 몇 가지를 소개해둔다. 혈액순환을 돕는 레드 : 사과, 토

마토, 석류 / 비타민 가득 면역력을 돕는 오렌지 : 귤, 당근, 호박 / 항암효과와 치매 예방을 돕는다는 옐로우 : 강황, 옥수수, 레몬, 바나나 / 신진대사를 활발하게 하여 피로를 풀어주는 그린 : 브로콜리, 아보카도, 키위 / 세포 손상을 돕고 노화를 방지에 좋은 보라 : 가지, 자색고구마, 포도 / 성장발육과 탈모 예방등 힘이 되는 블랙 : 검은콩, 검은깨, 메밀 / 면역력 증진과 간 기능 보호에 도움을 주는 화이트: 마늘, 양파, 무 등으로 간단히 정리해 볼 수 있다.

무슨 색깔을 즐겨 먹는가

사실, 현장에서는 흔히 검색하면 알아볼 수 있는 건강을 위한 컬러푸드에 대한 관심보다 궁금해하는 것은 따로 있다. 바로 먹는컬러에 대한 이야기이다. 가끔 아버님들이 함께하시는 강연장에서는 음식을 통한 색깔 이야기를 나누기에 앞서, 흥미로운 컬러 팁 하나를 전해드리곤 한다. "만약, 어제오늘 그리고 내일, 이번 주 내내 아내인 어머님들이 차려주시는 음식들이 유독 빨간색으로 채워짐이 이어진다면, 이 이야기만큼은 피하시는 것이좋습니다. 어떤 이야기일까요?" 혹시, 지갑을 선물할 때는 무슨

색깔을 선물하라고 하는지 아는가. 바로, 이 질문에는 돈이 들어
온다는 메시지가 담긴 빨간색을 가장 먼저 떠올려야 할 것이다.
어찌 보면 내가 생각해본 빨간색은 꼭 들어온다기보다 본능, 생
존, 움직임, 행동 등 주고받는, 오가는 등 순환의 의미로 봤을 때
그만큼 돈이 들어갔다 나갔다 잘 사용하게 된다는 것이 더 맞지
않을까 싶기도 하다.

암튼, 결국 앞서 재미로 나눠봤던 질문의 답은 바로 '돈 이야기
는 피하라.' 였다. 어떤 이유로 시뻘건 음식들이 올라오는지는
확신할 순 없으나, 소위 빨강 음식이 유독 당길 때면 우리는 '나
스트레스받았어.' '나 자극하지 마.' 외침과도 같다고 말하지
않던가. 그러니, 위험요소는 피하는 것도 하나의 방법 아닐까 하
는 의미의 흥미로운 이야기로, 컬러푸드에 대한 시간을 시작해
보곤 한다. 이럴 땐, 같은 빨간 음식일지라도 건강도 챙기고 사
랑도 더해 줄 수 있는 음식을 안겨다 주면 어떨까. 퇴근길, 붉은
빛을 뿜내고 있는 고기를 안고 들어가 직접 구워 저녁을 한 상 차
려낸다면, 눈치 없이 돈 이야기를 하는 것보다 좋은 결과를 안겨
다 줄 가능성이 훨씬 클 것이다.

이렇듯 내가 즐겨 찾고, 자주 먹는 음식 색깔에 따라 흔히들 보
이는 상태를 살펴보면 다음과 같다. 오렌지 컬러의 피자나 치맥,

기름기 넘치는 안줏거리 등 끌릴 때면 자유와 즐거움을 만끽하고 싶은 상태일 거라 말하곤 한다. 이럴 땐 뿜어낸 에너지를 다시금 채워줄 건강한 비타민 컬러의 주황색 음식도 더해주면 좋지 않을까. 다음은 옐로우, 호기심 가득한 노랑이들에게 전하는 추천 메뉴는 무엇일까. 생각이 많다 보면 고민으로 찾아와 소화 장애를 유발하기도 하는데, 이럴 때면 가볍게 끼니를 챙기면서도 에너지는 더해주는 음식, 바나나를 기억해봐도 좋겠다. 초록색 하면 무엇보다 역시나 비워내기, 디톡스가 떠오르지 않는가. 그러니 음식도 마찬가지 채소를 섭취하고, 골고루 균형 잡아 줘야 할 때가 아닐까 싶다.

차크라 컬러 즉, 신체와 연결된 색깔 에너지로 우리의 목을 책임지고 있는 파란색은, 수분을 가장 챙겨야 할 때라고도 안내한다. 때로는 물을 챙겨 마시는 것만으로도 흐르는 땀과 눈물을 대신 채워, 탈수 현상도 챙겨줄 수 있을 것이다. 혹시 대한민국의 두통약 하면 어떤 컬러가 떠오르는가. 나와 같은 광고가 떠올랐다면 분명, 분홍색 또는 연보라색을 떠올려 주고 있을 것이다. 눈의 피로를 완화하고 다이어트에 도움이 된다는 아로니아 색깔도 자주 보랏빛을 띠고 있다. 이렇듯, 내가 요즘 먹고 있는 음식의 색깔로도 나의 심신 상태를 챙겨 볼 수 있다니 흥미롭지 않은가. 무슨 색깔을 즐겨 먹는지, 한 번쯤 살펴볼 필요성은 느껴 보았길 바란다. 건강 이야기를 한참 하던 이때, 나는 또다시 물음 하나가 스멀스멀 올라온다. 당연히 건강을 위한 음식도 좋지만, 맛을 통한 기분전환도 무척 중요하지 않을까. 가끔은 빨갛고 매콤한 음식이 그 어디에도 터뜨리지 못했던 것들을 땀으로 흠뻑 흘려보내 주지도 않던가. 오직 건강을 위한다는 이유로 매콤한 음식을 맛볼 수 없다면, 오히려 이 생각만으로도 스트레스가 찾아오는 듯하다.

문득, 빨간 음식과 더불어 미움 그리고 분노에 관한 이야기 한 가지가 떠올랐다. 마음수련을 이어가던 어느 날, 나에게서 증오 또는 분노마저 사라져버린 것만 같은 순간을 맞이한 적이 있다. 한때는 누군가를 미워하고 원망하는 마음을 버려야만 내가 살 수 있을 것 같아서, 그 얼마나 애를 써왔던가. 레드 컬러의 부정적인 감정을 없애고 나면, 삶의 모든 순간이 편안함으로 감사히 살아갈 일들만 남을 것으로 생각했다. 그런데 순간, 신기한 일이 벌어졌다. 빨간 음식을 섭취하지 않으면 왠지 조금 더 가벼워진 듯하지만, 왠지 열정마저 사라져 버린 것 같지 않은가. 그와 마찬가지로 왠지 모를 삶의 의욕마저 사라진 것 같은 느낌을 받고 있었다. 그리고는 오히려 어떻게 분노라는 이 감정을 다시 담아낼 수 있을까 고민이 되기도 했다. 그제야 또 하나를 알아차렸다. '미움도 살아가는 힘이 되어 왔구나. 어쩌면 원망 덕에 강해질 수도 있었던 거였구나.' 싶었다.

요즘 나는 다시, 분노조절프로그램에서 훈련을 이어가고 있다. 색깔의 빛에 빨간색이 빠질 수 없듯, 분노는 당연히 찾아오는 감정 중 하나일 뿐이었다. 다만, 그 감정을 빨리 알아차리고 적절한 표현 방법과 감정 소통의 훈련이 필요함을 알 수 있었다. 빨간 음식, 빨간 감정도 이와 마찬가지지 싶었다. 애써 미움과 원망, 분노를 찾으려 할 필요는 없으나 한 번씩 터져주는 감정에 시원함을 느끼게 되기도 하듯, 가끔은 다음날 속 쓰리게 하는 빨간 음식도 치유 음식의 하나로 슬쩍 포함해도 되지 않을까. 무엇이든 넘치지 않고 균형을 잘 잡아낼 수 있다면 강 약점−장단점은 어디에나 있을 테니 말이다. 채소 쌈에 고기를 싸 먹으면 더욱더 맛있고 심심했던 음식에 청양고추 송송 썰어 넣어주면 더 맛깔스러워지듯, 컬러 푸드에도 균형이 필요해 보인다. 오늘 먹는 컬러와 나는 무엇으로 연결되어 있던가. 혹시 음식을 만들기 좋아하거나 먹는 즐거움으로 살아가는 이라면, 색깔을 만나는 연습을 요리에서부터 해봐도 좋겠다.

색깔이 그곳에 있는 이유 [주]

『케렌시아, 무슨 색으로 꾸밀까』

<고요할수록 밝아지는 것들> 혜민 스님의 책을 읽으며 생각해 보게 되었던 '케렌시아'. 몇 년 전부터 소확행, 워라밸 등과 함께 트렌드 키워드로 꼽혔던 케렌시아는 안식처, 귀소본능 장소 등의 의미로 익히 만나왔을 것이다. 그렇다면 혹시 케렌시아(Querencia)가 '바라다'라는 뜻의 동사인 케레르(querer)에서 나온 단어라는 것은 들어 본 적 있는가. 원하다, 바라다 외에 「가지고 싶어 하다, 사람이나 물건을 좋아하다, 결심하다, 결단을 내리다」 등의 뜻이 있었다. 설마 아직도 케렌시아 하면 투우사와 싸우다 지친 소가 잠시 휴식을 취하던 투우장만을 떠올리고 있진 않길 바라며, 조심스레 나만의 케렌시아에 관해 물어본다. 지금 당장 나 홀로 떠나고 싶은, 원하고 또 바라는 그곳은 어디일까. 그리고 또 한 가지 그곳이 품고 있는 빛, 나를 가장 편안하게 해주는 색깔은 무슨 컬러일까 생각해보면 좋겠다.

색깔 하나 바꿨을 뿐인데 모든 게 변했다

힘들 때면 가장 먼저 떠오르는 곳, 나만의 카렌시아가 있다. 먼저 힌트를 주자면, 파란 바탕에 반짝이는 노란별, 알록달록한 작은 점들이 모여 무지개를 이루고 있는 한 장의 그림과도 같은 곳이다. 나에게는 그곳이 바로 공항이다. 가장 먼저 반기는 것은 역시 파란 하늘과 타기보다 보는 것을 좋아하는 비행기들이다. 더불어 내가 수많은 사람과 하얀 거품 가득한 라떼 한 잔. 오고가는 길, 시원한 바다도 펼쳐지니 나에게는 마치 종합선물상자와도 같은 곳이다. 가끔은 케레르(querer)가 안고 있는 의미처럼, 무언가 결단을 내리기 위해 잠시 나에게 멈춤을 선물하게 되는 곳이기도 하다. 인천공항 제1 여객터미널 4층에 올라가 보면 비선루 라는 곳을 만날 수 있는데, 활주로가 보이는 통유리를 통해 하늘과 오가는 비행기들을 만나 볼 수 있다. 그곳으로 향하는 복도 역시 전면 통유리로 되어있어, 출입국 하는 많은 사람의 모습도 살펴볼 수 있는 곳으로 나에게는 더없이 좋은 배움과 깨달음의 장소가 되어 주기도 한다. '빨주노초파남보' 저마다 자신의 빛으로 살아가고 있는 모든 빛을 한 자리에서 한 눈에 바라볼 수 있으니 그 얼마나 흥미로운 곳인가. 하나의 공간에서 한순간, 얼마나 많은 삶의 이야기들이 펼쳐지고 있는 것일까.

유독 내가 좋아했던 드라마 〈공항 가는 길〉에서만 보더라도 그랬다. 즐거운 여행을 떠나는 가족들 사이로 타지에서 유골이 되어 돌아오는 딸의 유골함을 안고 돌아오는 아빠의 모습도 만나볼 수 있었다. 누군가에게는 설렘 가득한 순간을 담고 있겠지만, 또 다른 누군가에겐 가장 아픈 순간을 안고 있을 수도 있지 않을까. 그러니 카렌시아의 장소가 아무리 같은 곳이라 할지라도 바라보는 색깔에 따라 받고 또 찾게 되는 힘은 각기 다를 수 있음을 또 한 번 배웠다.

한 가지 공항 이야기를 마무리하기 전 고백하건대, 사실 어느 순간부터, 인천공항 제2 여객터미널로 장소를 살짝 옮겨왔다. 혹시 들러 볼 일이 있다면 동편 복도 가장 끝까지 걸어가 보길 추천한다. 분명 멋지게 꾸며진 전망대도 좋지만, 조용히 이어폰 하나 꽂고 앉아 생각 없이 쉬어가기 좋은 곳이지 않을까 싶다. 가끔 여행 가방 하나 없이 그저 멍하니 창가를 향해 바라보고 있는 이가 있다면 필자일 수도 있음을 알려둔다. 마치 나는 투명 인간이 된 듯, 나 홀로 또 다른 세상을 바라보며 쉬어 갈 때가 있다.

내 주변에 케렌시아 만들기

'없으면 만들면 되지.'

지금껏 나만의 케렌시아를 찾지 못했다고 실망하지는 말길 바란다. 이제부터 만들어 볼 나의 케렌시아가 부러워, 있던 케렌시아마저 바꾸는 이들도 생길 테니 말이다. 아무리 좋은 곳이라 할지라도 자주 갈 수 없다면 그마저 그리움으로 찾아와 한 번쯤 고민거리 되어버리기도 한다. 나만 해도 가고 싶다는 마음 하나로 움직이기엔 가장 어려운 현실을 살아가고 있는 대한민국의 엄마 아니던가. 이럴 때면 내가 좋아하는 곳, 쉬어 갈 수 있는 곳이 언제든 쉽게 발 닿을 수 있는 가까운 곳이었으면 좋겠다 싶기도 하다.

직장인들에게 물었다. 직장에서 휴식을 취할 수 있는 곳 1위가 바로 화장실이었다고 한다. 설마 싶으면서도 동시에 그럴 법도 하겠구나 싶었다. 그러나 요즘은 그곳마저 불편한 상황들이 발생했던 터라 자꾸만 회사 밖, 비용을 내서라도 잠시 쉴 곳을 찾아 헤매게 하기도 한다. 내가 가장 많은 시간을 보내는 그곳이 바로 케렌시아가 될 수 있다면 가장 나에게도 힘이 되어주지 않을까. 산의 푸름을 좋아하는 이들은 숲을 옮겨올 순 없다지만, 초록 잎 가득한 작은 화분 하나로 공기를 바꿔보는 것은 어떨까. 바라보는 그 순간, 잠시나마 한숨을 큰 숨으로 바꿔 줄 수도 있지 않을까. 매일 신는 슬리퍼 하나, 자주 보는 모니터 화면 색깔 하나만으로도 어쩌면 똑같던 그곳이 색다르게 느껴지게 될지도 모른다.

혹시 이렇게 나의 집 또는 내 방을 직접 꾸며 본 적이 있는가. 하루 중 가장 많은 시간을 보내는 그곳의 색깔은 누가 채워 두었을까. 내가 함께하는 이들 중에서 아이들과의 멘토링을 위해 색깔 선생님이 될 때면, 낯설 첫 만남에 불안함을 덜 느낄 수 있도록 아이들의 방으로 초대받게 된다. 그들만의 성으로 들어갈 때, 지금껏 둘러 쌓여있었을 색깔도 체크하게 되는데 지금껏 만나 온 아이 중 열의 여덟 명은 그 색깔에 대해 마음에 들지 않는다고 답했다. 그마저 상황과 기분 그리고 계절, 날씨 등에 따라서도 분명 달라질 수 있을 테지만, 이들에겐 선택할 기회마저 없었다는 점이 안타까움으로 다가왔다.

당연히 나 자신이 편안하다 느낄 수 있다면 모든 공간의 컬러가 문제 된다는 것은 아니다. 다만, 앞서 색깔 방 실험과 빨간색의 패스트푸드점 이야기를 보았듯, 내 주변을 둘러싼 모든 색깔에 지금도 나는 영향을 받고 있다는 사실에 대해서는 꼭 한 번쯤 생각해 봐 줬으면 좋겠다. 특히, 색깔에 대해 알게 된 지금의 나는 예전과 달리 조금 더 나를 위한 메시지마저 담아 볼 수 있을 테니 말이다.

공간의 색깔이 주는 영향력 칼럼 내용 중에서

에이스침대 전문가 칼럼을 통해 '컬러테라피스트가 추천하는 침실 컬러 Good & Bad'를 소개한 적이 있다. [컬러는 절대적인 개념이 아닙니다. 개별 선호도와 건강 및 심리 상태, 그리고 경험 및 문화 차이 등으로 컬러는 상대적으로 다르게 작용할 수 있습니다. 아래의 표를 보고 현재 나에게 필요한 침실의 컬러를 확인해 보세요.] 내용 중 일부를 담아본다.

부부 침실, 무기력한 이
[빨간색으로 자신감과 애정을 더해줍니다]

성장을 위한 우리 아이
[노란색의 커튼으로 따뜻한 햇볕을 더해줍니다]

악몽을 자주 꾸는 이
[파란색 베개와 이불 등 침구류로 차분함을 전해줍니다]

스트레스로 잠 못 드는 이
[보라색을 인테리어 소품으로 활용하여 숙면을 취해줍니다]

편안한 휴식을 원하는 이
[연두색 또는 흰색으로 평온함을 더해줍니다]

사랑과 관심이 필요한 이
[분홍색으로 자기 자신을 사랑하는 마음을 선물해줍니다]

내가 고른 색깔이 보내는 메시지

『빨주노초파남보 선택한 나에게』

사실, 내가 만나온 색깔을 공부하는 이들도 저마다 색의 힘에 대해 바라보는 시선과 방법이 다르고 또 다양했다. 백색 광선이 프리즘을 통해 나타나는 각기 다른 빛의 색깔을 살펴보며 파장의 과학적 이야기로 풀어가는 이도 있고, 의식과 무의식의 심신과 영적인 영역, 우리 눈에는 보이지 않지만 느껴지는 아우라 등으로 만나고 있었다. 그저 나에게는 모든 게 앞으로 끊임없이 공부해 나아갈 과제이자 무척 흥미로움을 주는 이야기들이다. 그러니 지금 내가 나눠 볼 '내가 고른 색깔이 보내는 메시지'에서는 'A는 B다'라는 정의를 내리기보다 내가 가지고 있는 알록달록 색깔 재료와 소스들을 제공할 예정이다. 다만, 아무리 백종원의 만능 레시피를 받게 된다고 한들, 만들어내는 사람에 따라 달라질 수도 있지 않던가. 그러니 혹시 나에게 필요한 재료들과 소스를 골라보고 내 건강, 내 입맛에 맞춰 '나만의 요리법 – 나를 위한 활용서'로 만들어보길 바란다.

색깔이 전해주는 메시지를 만나보기에 앞서, 차크라 컬러에 대한 이야기를 잠시 나누려 한다. 산스크리트어로 바퀴 또는 원반을 의미한다는 차크라에서는, 우리 몸에 색의 진동이 흡수되어 예민하게 반응하는 신체 일곱 개의 중심으로 에너지가 회전하고 있다고 말한다. 깊게 알고자 한다면 더 자세한 설명이 필요하겠으나 여기서 우리는 아주 간단히, 차크라의 신체 위치와 연결된 색깔만은 기억해 봐도 좋을 것 같다. [기저부(척추 끝 신체 아래) 빨강, 천골부(아랫배, 생식기) 주황, 상복부(명치와 배꼽 사이) 노랑, 심장부(가슴, 심장) 초록, 후두부(목) 파랑, 전두부(미간, 눈) 남색, 두정부(정수리) 보라] 이를 통해 내가 고른 색깔이 보내는 메시지를 떠올리고자 할 때, 연상 단어 또는 이슈들과 더불어 차크라 컬러가 주는 신호도 함께 만나 볼 수 있길 바란다.

이제부터 사람들과의 만남 속 나눠온 이야기 그리고 나의 경험을 통한 '빨주노초파남보' 무지갯빛 메시지를 전하고자 한다. 한두 가지 색깔, 한 번쯤 경험했을 법한 이야기들로 마주하다 보면 어느 순간 나 자신에게도 전하고 싶은 메시지 하나쯤 선택해 볼 수 있지 않을까 하는 기대도 해 본다.

■ 빨간색을 선택한 나에게

질문 : 힘이 넘치나요. or 무기력해졌나요.

치유 : 건강의 신호부터 챙겨주세요. 가벼운 움직임과 더불어 보양식도 좋아요.

메시지 : 운동 또는 무엇이든 행해 보세요. 분노도 챙김도 터뜨려야 할 때입니다.

엄마의 자궁에서부터 제일 먼저 만난 빨간 색깔은 그만큼 가장 본능적이고, 현실적인 색깔이라고 이야기 나눈다. 몸의 생존과 연결된 차크라 컬러의 레드를 떠올려보아도 뿌리를 내리고 살아가는 이곳, 다리로 지탱하며 살아가는 지금을 생각했을 때 현실적이라는 의미도 이해될 수 있을 것 같다. 유독, 매콤한 음식이 당길 때면 흔히들 스트레스 받았을 때라 하듯, 무언가 터뜨려야 할 때 찾아오는 컬러가 바로 빨간 색깔이라 말한다. 그렇다면, 나에게 무슨 말을 해주려 찾아왔던 것일까.

한때는 넘치는 빨간 에너지에 자만했었다. 한참을 지나서야 나의 빨간 버튼이 눌린 채로 고장이 났음을 알아차릴 수 있었다.

내가 감당 못 하는 에너지에 터져버릴 때까지 나의 상태를 알아차리지도 못한 채 말이다. 터뜨릴 수 없는 열정과 분노들은 오로지 사는(구매) 것으로 살았다. 특히 맛있는 것을 사 먹는 것으로 찾아와, 몸은 무거워져만 갔고 지갑과 통장은 가벼워져만 갔다. '선생님, 강사님, 대표님, 컬러인터랙터님, 작가님, 작은딸, 며느님, 아내 그리고 엄마.' 매 순간 나의 색깔과 맡은 배역은 달라야 했고 불리는 이름마저 달랐다. 어떤 날에는 손자며느리, 선배, 후배, 동기, 학생, 위원님까지, 단 하나뿐인 나를 쪼개고 또 쪼개어 나누다 보니 내가 완전히 사라져버렸음을 느낀 순간을 만나야만 했다.

그러던 어느 날, 빨간색 상태의 끝판왕을 만난 적이 있다. 갑작스레 21만 원의 현금이 필요한 상황이 찾아왔다. 그런데 이미 비워져 버린 통장은 살펴볼 필요도 없었고 당장 어떻게 해야 하지 싶은 순간, 우리 집 천장에서 물이 새기 시작했다. 다른 때였다면 '왜 하필 또 나에게 이런 일이 찾아오는가.' 온갖 원망과 분노가 찾아왔을 것이다. 그런데 그때의 나는 천장을 바라보며 안도의 한숨과 함께 편안한 미소를 짓고 있었다. '휴 살았다. 감사합니다.' 위층에서 배수공사 중, 작은 실수로 인해 우리 집 천장 벽으로 물이 조금 새어 나왔고 정확히 천장 도배 견적서에는 21만 원이 찍혀있었다. 오히려 그렇게 사건이 터지고서야 돈은 채워지고 나의 레드컬러 이슈는 비워질 수 있었다. 덕분에 다시금 벌떡 일어나 꿋꿋이 걸어가는 계기가 되어주기도 했다.

혹시 주변 빨간색이 필요해 보이는 가족이 있는가. 오늘은 그저 왜 그러냐고 애써 묻기보다, 든든한 힘을 챙겨 줄 수 있는 붉은 고기반찬 하나 올려 봐주면 어떨까. 매년 명절이면 고민되는 부모님들 선물에 건강을 위한 홍삼도 좋다지만 올해는 빨간 속옷 한 번 준비해보는 것도 추천해본다. 분명 처음에는 이런 것을 어찌 입겠느냐고 당황해하실 수도 있다. 그러나 슈퍼맨과 원더우먼의 빨간색 상·하의를 소개해 드려보자. 입는 순간 괜스레 힘이 불끈 나는 듯, 몸과 마음의 에너지를 한껏 더해줄 수 있지 않을까. 물론 나에게 선물하는 것도 더없이 좋겠다.

◆ 주황색을 선택한 나에게

질문 : 흥분했나요. or 결핍되었나요.

치유 : 재밌는 일, 힘이 되는 자유를 선물하세요.

메시지 : 나를 진짜 웃게 해주세요. 적당한 억압도 나만의 자유의 즐기는 데 필요합니다.

공무에 종사하는 분들 대상, 역량 강화 강의를 진행하는 날이었다. 사실 대부분 강사와 이야기를 나눠보면, 반응을 얻기에는 가장 어려운 대상이라 말하기도 한다. 색깔로 말하자면 네이비 컬러, 흔히 남색을 많이 만날 수 있는 집단이라 살펴왔다. 분명히 이 또한 변화들이 이어지고 있지만, 아무래도 한 직종을 오랫동안 몇십 년간 묵묵히 지켜 오시는 분들의 특성이 나타나는 편이다. 그날 역시, 서열이 명확하고 긴장감이 도는 분위기를 풀어내는 것이 가장 큰 숙제였다. 마치 바다 모세의 기적이라도 보여주듯, 많은 좌석 중 맨 앞쪽 두 줄 외 중간 자리는 텅 비워놓고 한참을 지나서야 옹기종기 모여 앉아있었다. 어쩌면 서로를 위해서일까, 대부분 직책이 높으신 분들의 자리인 맨 앞줄은 가장 늦게 채워지고 강의를 마치는 순간, 가장 빨리 비워지곤 한다.

그런데 내가 기억하는 그 날은 새로웠다. 직원들의 질문 시간에
도 기꺼이 자리에 앉아 기다려주시던 대표님께서 가장 마지막
으로 나에게 다가오셨다. "선생님, 저 이렇게 살고 싶습니다."
솔직히 고백하건대 순간 울컥한 순간이었다. 연세 지긋하신 모
습에 정중히 그러면서도 간절함으로 나를 찾아와주신 그분을 보
니, 30년 공무원 생활을 하셨던 나의 아버지의 모습이 떠올랐었
던 건지도 모르겠다. 더 잊을 수 없었던 것은, 누가 봐도 한결같
은 남색 인생을 살아오셨을 법한 분의 손에 다름 아닌 오렌지 색
깔이 들려있다는 점이다. 잠시 이야기를 나눠보았을 뿐이지만,
어찌 그 오랜 시간 동안 해야 하는 일보다도 하고 싶은 일이 앞
선 때가 없었으랴. 이제는 하고 싶은 일도 먼저 선택할 용기도
내보고, 지금껏 누리지 못했던 재미와 자유를 갈망하고 계셨다.

분명 앞서 수차례 말해왔듯 나에게 찾아오는 색깔의 의미는 매
순간 또 달라질 수 있다. 다만 그중 한 가지 함께 생각해보고자
한다면 주황색을 고른 나에게 가장 먼저 이렇게 묻고자 한다. 혹
시, 지금 주황색이 자유로운 즐거움으로 다가오는가? 혹은, 불
편한 억압으로 느껴지진 않는가. 반갑다면 기쁘게 맞이해주고

혹여나 불편하다 하더라도 피하려 하거나 그렇다고 애써 웃음 지어주려 할 필요는 없다. 하나 어쩌면 주황색은 내가 고민하는 것과 달리 그저 나에게 마음을 다해 미소 짓고 있을 뿐인지도 모른다. 적당한 억압은 오히려 방종까지 되지 않도록 독이 아닌 나만의 자유를 선물해주고 있는 것인지도 모른다.

▲ 노란색을 선택한 나에게

질문 : 긍정의 나를 챙김인가요. or 예민한 이기심인가요.
치유 : 생각이 많아졌다면, 기록해보고 하나씩 지워보세요. 비워야 또 채울 수도 있지요.
메시지 : 새로운 것을 배워볼까요. 자존감이 높아질수록 주변까지도 밝아질 수 있습니다.

다양한 대상들을 만나며 슬기로운 재혼 생활 – 재혼가정을 꾸리셨거나 준비하시는 분들을 위한 강의를 진행한 적이 있다. 커플로 자리하신 분들 사이로 한 두 분 정도, 홀로 앉아 계시는 분들의 모습도 보였다. 그중 가장 밝고 호기심 가득한 눈빛으로 설렘마저 보이는 한 분이 손을 들어 색깔을 보여주었다. 아니다 다를까. 그 색깔은 바로 노란색이었다. "선생님, 저는 사실 사별한 지 얼마 되진 않았습니다." 이 한 마디로 주변 분들의 표정과 눈빛은 순식간에 모두 바뀌었다. 안타까운 사연에 걱정 어린 눈빛을 보내고 있는 그때, 이어진 말씀에 미소와 더불어 한마음이 되어 응원을 보냈다. "그런데요. 선생님, 저 이제야 저 자신을 만나고 있는 것 같아서 솔직히 제 인생에서 요즘이 가장 즐겁고 좋습니다." 사연인즉 슨 이러했다. 남편분의 오랜 투병생활로 지금껏 병간호하며 모든 순간, 최선을 다해 살아오셨다. 분명, 진심으로 아내의 자리를 지키며 살아왔고 그 어떤 원망도 없이, 서로에게 감사한 인사를 나누며 편안히 보내드렸다고 한다. 그렇게 혼자가 되고 얼마 전 자녀분들도 모두 결혼을 시키고 이제야 나만의 시간을 갖게 된 것이다. 지금은 그 누구보다 자신을 챙겨주고 싶다고 하셨다. 오늘처럼 배우고 싶은 것도 배우고 만나고 싶은 이들 만나며 내가 중심이 되는 삶을 살아가고 싶다고 말씀하셨다. 과연 이분께 지금 이 순간, 사별에 대한 위로가 필요하다 말할 수 있을까.

차크라 컬러의 노란색, 우리 몸에서도 가장 중심을 지키고 있는 빛과 연결되어 있지 않던가. 나의 중심, 나의 빛을 제대로 밝혀주고 있을까. 꺼져있다면 on 버튼을 누르면 되고, 빛이 사라졌다면 새로운 전구, 나의 빛으로 바꿔 줄 시기일 수도 있다. 당연히 잠시 꺼둬야 할 때도 있을 테고 말이다. 혹시 나를 향한 많은 생각은 오히려 흔들흔들 나를 뒤죽박죽 고민으로 찾아와 중심마저 잡지 못하도록 만들고 있진 않은가. 물음표는 생각을 만들어내지만 넘치면 고민으로 찾아와 나를 흔들어 놓기도 한다. 가끔은 그저 느낌표로 남겨둬도 괜찮지 않을까. 진짜 내가 하고 싶은 것, 나를 위한 것마저 이미 지금 나 자신이 알고 있을 테지만 말이다.

● 초록색을 선택한 나에게

질문 : 조화로운 균형을 잡아갈 때인가요. or 오직 나만의 휴식이 필요한가요.

치유 : 숲도 봄을 위해 겨울잠을 자지요. 더 많은 나눔을 위해, 잠시 쉬어가도 좋습니다.

메시지 : 마음을 챙겨야 할 때. 잠시 주변을 정리하며 한숨 대신 큰 숨 쉬어보아요.

'아이고 답답해라.' 숨이 쉬어지지 않을 듯, 갑갑함에 애꿎은 내 가슴만 두드리고 있지는 않은가. 나는 가끔 장거리 강의 소식이 들려올 때면 마치 여행 소식이 찾아왔듯 설렌다. 달리는 도로 위, 창문 밖으로 산과 바다 자연이 눈으로 찾아와 마음에 담기는 그 순간, 오랜 운전에 몸은 힘들다 할지라도 마음만은 참 시원하다. 자연과 더불어 나는 사람을 참 좋아했다. 무엇보다 사람이 먼저였고 소중했기에 그만큼 쉽게 그리고 깊게, 받는 상처들도 많았다. 그렇다고 사람을 미워할 줄도 모르는 나는 아플 걸 알면서도 만나야 했고, 함께함을 선택하면서도 외로움을 감내해야만 했다.

가끔은 시험에 들게 하는 이들도 참 많았다. "진짜 너무 이상하지 않니. 그 사람 참별로야. 그렇지?" 마음을 들어줄 순 있었으나 동의의 맞장구를 쳐주지는 못했던 나였다. 아무리 누군가에겐 불편함을 주었고 미움으로 찾아온 사람이라 할지라도 그 사람이 만난 사람과 내가 만났던 사람은 분명 다를 수 있지 않을까. 그러나 가끔은 자기 생각에 무조건 동의를 해주지 않는 그 순간, 내가 그 사람의 '이상한 사람'이 되어버리기도 했다.

중학교 때 나는 왕따라 불리는 경험을 한 적이 있다. 이래서 세

명의 홀수인 단짝 친구들은 되기 어렵다고 했던 것일까. 언제부터인가 두 명의 친구들이 나에게 찾아와 서로의 험담을 들려주기 시작했다. 사실 가끔은 상사에 대한 불편함 또는 친구에 대한 서운함 등을 비워내기 위해서라도 나누게 될 때도 있지 않던가. 그러나 이 둘은 나에게 동의를 넘어 오직 자신만의 단짝이되어주길 요구했다. 잡을 수도, 놓을 수도 없었던 나는 결국 혼자가 되어 버렸다. 서로 피해자라 호소하던 두 친구는 어느새 둘도 없는 친구가 되어있었다. 당연히 서로서로 뭐라고 했는지는 알지 못한 채 말이다. 그 후, 몇몇 친구들이 모여 함께 나를 불편하게 만들기 시작했다. 억울할 때도 있었다. 삼자대면이라도 해야 했을까. 그런데 참 신기한 일이 일어났다. 내 양옆을 막아섰던 두 친구의 자리가 비워지자 보이지 않았던 더 많은 친구가 다가오기 시작했다. 마치 내가 아닌 그 일곱 명이 왕따인 것처럼 말이다. 더욱 흥미로웠던 사실은 얼마 지나지 않아 하나둘씩 나에게 비밀리에 연락을 해오기 시작했다. 두 명을 포함한 일곱 명 모두 말이다. "미안해. 사실 난 그러고 싶지는 않았는데, 나도 어쩔 수가 없었어." 분명 그때는 참 힘들었다지만, 이제 와 생각해보니 어쩌면 왕따를 만들어내던 그들이 가장 외로운 이들 아니었을까.

성인이 되어 사회생활 속에서도 그런 이들은 꼭 하나둘 있기 마
련이었다. 원하든 원치 않든 가끔은 주변 환경을 청소하듯 사람
정리도 필요한 시기가 찾아오곤 한다. 진심을 전했건만, 내 마음
마저 자신 것인 양 마음대로 물들여 버리거나 다른 색깔로 덮어
버리려 한다면 새로운 채움을 위한 비움을 과감히 선택해도 괜
찮지 않을까. 사람들에게 받은 상처는 또 다른 사람들에게 채워
진다고들 하지만, 우선 나의 마음부터 챙겨야 할 때 아닐까 싶
다. 쿵쿵 답답한 가슴을 두드리고 싶을 때, 토닥토닥 내 마음을
쓰다듬어주면 좋겠다.

▼ 파란색을 선택한 나에게

질문 : 차분한 책임감인가요. or 차가운 냉정함인가요.

치유 : 잠시 어깨를 떨어내도 괜찮아요. 나에게만이라도 솔직하
게 표현해보세요.

메시지 : 일기라도 써보면 어떨까요. 내 마음을 대신해주는 노
래를 들어봐도 좋겠네요.

정확히 기억한다. 89명의 참가자가 함께했던 워크숍이었다. 3시간 정도 프로그램을 마친 후, 88명의 인원이 빠져나가고 단 한 명만이 남아 자리에 앉아있었다. '물어보고 싶은 것이 있으시구나.' 그러나 먼저 묻지 않고 잠시 기다렸다. 그가 들고 있던 종이의 색깔은 다름 아닌 파란색이었기 때문이었다. 상담 시 파란색을 선호하는 이들에게는 직접적인 질문보다, 스스로 표현할 수 있도록 좀 더 충분한 시간을 전해주곤 한다. 표현에 어려움을 느끼거나 신뢰와 신중함이 무척 중시되는 시기일 수 있기 때문이다. 만약, 먼저 무언가 속내를 알아차렸다는 듯 "많이 힘드시죠?"와 같은 질문을 건넨다면, 대부분 파란 상태의 사람들은 "아니오."라고 답할 가능성이 크다.

마지막까지 남아있던 그는 결심했다는 듯, 마침내 다가와 자신의 파란색 그림을 보여주며 물었다. "선생님, 죄송한데 혹시 저에게 해주실 말씀이 있을까요?" 나는 조심스레 답했다. "용기 내어 물어봐 주셔서 감사해요. 그리고 선생님! 실수하셔도 괜찮습니다." 복잡한 선들로 이뤄진 만다라 그림은 선을 넘은 곳도, 빈 곳도 하나 없이 파란색으로 가득 채워있었다. 아마, 이 그림을 본이라면 내가 아닌 그 누구였다 하더라도 나와 같은 이야기를 해주지 않았을까. 그런데 그 순간 눈빛과 표정이 확연히 달라졌다. "아……. 네. 선생님 감사합니다." 마치 인생의 무언가 큰 깨달음을 알아차린 듯. 정중한 인사와 함께 두 손 꼭 쥐고 있던 파란 그림을 내려놓고 가벼이 돌아갔다. 가끔은 모두 알고 있지만 나만 모르는 내 상태가 있기도 하다. 때로는 아무리 말을 해주고 또 해줘도 모르는 척을 하는 것인지, 부정하는 순간도 있다. 그리고 또 누군가 나 대신 내 마음을 나에게 들려줬으면 할 때도 있다.

지금 나에게 파란색은 잠시 불어오는 미풍의 시원함일까, 스치기만 해도 아려오는 차가움일까. 어쩌면 지금의 나는, 아무렇지 않은 척 애써 멈춰보려 해도 흔들리는 호수와 바다, 하늘과 같을지도 모른다. 가끔은 이마저 내 것이라 감당해내기 어려울 때면 그저 모든 것들이 스쳐 가고 있을 뿐, 마치 파도를 타듯 흘러오는 그 감정에 나를 잠시 맡겨 봐도 괜찮지 않을까. 나도 지금은 힘들고 지쳤다고 눈물로 대신 흘려보낸다 해도 그런 나에게 아무도 뭐라 할 수 없을 것이다. 나 자신 또한 포함해서 말이다.

■ 남색을 선택한 나에게

질문 : 계획적인 미래를 꿈꾸나요. or 권위적인 독재만을 고집
하나요.

치유 : 밤이 되면 보이지 않던 별이 빛나듯, 냉정함 속에도 따스
함이 함께함을 기억해요.

메시지 : 너무 깊어지기 전, 반짝이는 빛으로 내가 거기 있음을
알려 주세요.

2020년 팬톤이 선정한 올해의 컬러는 클래식 블루(Classic
Blue)다. 흔히 남색이라 부르는 네이비보다는 좀 더 가벼운 블
루이지만, 깊은 사고와 더불어 꿋꿋한 자신감의 의미를 담고 있
음은 닮아있다. 어둠 속, 당장은 앞이 보이지 않는 듯하지만 이로
써 변화의 시작을 의미하기도 하다고 말한다. 그러고 보니 올해
12월, 32년 만에 바뀌는 여권의 색깔 역시 남색이라는 소식도 있
다. 그렇다면, 지금 나에게 온 남색은 한 치 앞도 보이지 않는 안
갯속일까, 저 먼 미래마저 바라볼 수 있는 우주로 날아온 것일까.

나는 별이 빛나는 밤이 좋다. 보이지 않는 순간에도 언제나 빛나

고 있던 별들이 드디어 세상에 밝혀지는 순간이 아니던가. 그런 나에게도 어두운 밤으로 찾아와 그마저 부여잡고 놓아주지 않으려 했을 때가 있었다. 2019년, 한 해는 동안만이라도 아이의 초등학교 입학과 동시에 나의 대외적인 일정은 잠시 쉬어가기로 했다. 분명 나의 선택이었고 모든 것을 포기했다고 선언한 것도 아니었다. 그저 조금 달라진 일상과 나의 시간을 나누는 데 있어 우선순위가 바뀌는 것뿐이라 생각했다. 그런데 얼마 지나지 않아 나에겐 별빛마저 잃어버린 어둠이 찾아왔다. 그저 바라보고 있을 땐 그리도 예뻤건만 어느새 내가 어두운 밤이 되고 보니 그렇게 빛나는 별이 되기 위해선 그 얼마나 애를 써야 했는지 그제야 알 것 같았다. 아무래도 너무 열심히 달려온 탓인지 갑작스러운 STOP의 급정거는 나를 오히려 아프게 했다. 왜 어둠은 헤어나오려 하면 할수록 깊어지는 것만 같은지, 해도 해도 크게 변화는 보이지 않고 알아주는 이도 하나 없는 일상이 이어졌다. 내가 열심히 살아왔던 나의 자리마저 사라진 듯했다. 이제는 되돌아갈 곳도 보이지 않았다. 엄마가 아닌 내 이름의 세상은 멈춘 것만 같았던 그때, 차라리 모든 이들의 세상에도 온통 어둠이 찾아오길 바라고 있는 나를 만났다. 그때의 나는 빨리 밤이 되기만을 바랐다. 그래야 남들도 내가 하지 못하는 상황과 똑같아질 테니 말이다. 무섭도록 차가웠던 네이비 상태를 알아차리는 순간 느꼈다. '뜨거웠던 나의 열정을 잠시 식히려 했던 것이 너무도 자신을 차갑게 얼려버리고 말았구나.' 싶었다.

그러던 어느 날 밤, 아이는 구토를 하기 시작했다. 아이 하나 챙기고자 했을 뿐인데, 이마저 무너지던 그 날 밤, 나는 빌고 또 빌었다. 이 기나긴 밤이 빨리 지나가기만을 바라고 있었다. 나에게 찾아온 벌이었을까. 어쩌면 그렇게 나는 눈물로 깊고도 차가웠던 밤을 나에게서도 보내주고 있었다. 세상은 또다시 누군가의 인생을 리셋 시켜주는 듯, 새로운 아침이 찾아왔다. 저 멀리 바라봐야 보이는 우주와 저 깊은 곳을 만나야 하는 볼 수 있는 심해. 나는 어디쯤 있다가 온 것일까. 혹시나 어디로 가는지 방향성을 잃고 있을 때면 너무 깊게 그리고 너무 오래 빠져있지는 않은지 살펴야 할 때일지도 모른다. 또다시 찾아온 밤, 괜스레 오늘 밤은 베란다 프로젝트의 〈괜찮아〉를 들으며 잠을 청한다.

'내일은 별빛만이 아닌 햇살도 만나줘야지.'

📃 보라색을 선택한 나에게

질문 : 꿈꿔야 할 때인가요. or 잠에서 그만 깨어날 때일까요.

치유 : 잠시, 눈을 감고 꿈나라 여행을 떠나보아요. 대신, 삶은 현실에 있음을 기억해줘요.

메시지 : 숙면이 필요해요. 명상과 예술활동도 추천해봅니다. 햇살도 잊지는 마요.

나를 만나고 돌아가는 이들을 바라보며 다시는 만나지 않기를 바라곤 한다. 내가 가진 이름 중, 컬러인터랙터인 나를 만나러 온다는 건 또다시 혼자 감당할 수 없는 상처가 생겼다는 것일 수도 있을 테니 말이다. 그런데 가끔은 다시금 만나보고 싶은, 특별히 기억에 남는 이들이 있다. 그 중, 보라색 하면 단연코 가장 먼저 떠오르는 분은 바로, 연세가 지긋하신 하얀 머리의 곱디고운 할머님 한 분이 생각난다. 환한 미소로 다가와 간절함이 깊게 묻어나는 목소리로 말씀해주셨다.

"선생님, 나 고민 한 가지가 있는데, 얘기 좀 들어주실래요. 친정 아버지를 보낸 지 벌써 3년쯤 되었어. 그런데 사실 평생 원망했었거든. 갈 때까지도 나에겐 화낼 기회조차 주지 않더라고. 그리도 미워했고, 이젠 떠나고 없는데도 왜 그리 아직도 나를 힘들게 하는지……." 이런저런 나의 질문에 차분히 답변도 해주시고 넋두리를 풀어놓듯 천천히 이야기를 들려주셨다. "상담도 받아봤지. 주변 가족들과도 이야기해봤고, 한다고 해봤는데, 아직 뭔가 답답하네." 개인상담 일정으로 뵌 자리가 아니었기에 짧은 시간 안에 무언가 답변드리기는 조심스러운 순간이었다. 그래서 언제나 그러했듯 내 생각이 담긴 답변을 바로 드리기보다 다시금 선택하실 수 있도록 함께하였다. "혹시 지금, 나를 도와주면 좋겠다 싶은 색깔 하나 골라봐 주실 수 있으실까요?" 앞에 놓인 색깔 병들 중에서 망설임 없이 바이올렛-보라색 색깔 병을 고르셨다. "글쎄 나는 얘가 아까 강의 시간부터 자꾸 눈에 들어오더라고." 마치, 보라색과 눈을 맞추고 대화하듯 미소를 짓고 계셨다. "혹시, 꿈속에서라도 아버님을 소리 내 불러보신 적은 있으신가요." "아니, 끝까지 참 원망스럽기도 하지." 나는 그제야 이렇게 나눌 수 있었다. "우선 감사해요. 상담이나 주변 가족분들과도 마음을 나누고 계신다니 다행이고요. 그런데 그 누구보다 아버님께 마음을 전해보셔야 하는 것은 아닐까 싶어요. 큰 소리 내 말씀해보시는 것은 어떨까요. 분명 들어주실 거예요. 사진을 보고 하셔도 괜찮고요. 강의시간에 해보신 셀프 리터치 이미지

명상 또는 꿈속에서도 좋아요. 잠시 눈을 감고 아버님을 한번 뵙
고 오시면 어떨까요."

보라색은 현실의 레드와 가장 멀리 떨어진 영적 영역을 말하기
도 한다. 그러니 어쩌면 이들에겐 현실보다 꿈속이 가장 편안한
상태라고 말할 수 있을 것이다. 꿈속에라도 자주 찾아와주면 좋
으련만. 내게도 그렇게나마 보고 싶은 이들이 있기에 더 잊히지
않는 만남이었나 보다. 그때 나의 두 손을 꼭 잡고 인사해주시던
모습이 생생하다. "그래야겠네. 꼭 만나 볼게요." 만나 보셨을까.
어떤 대화를 나누셨을까. 마음은 좀 풀리셨으려나. 문득, 꿈속에
사는 우리가 그저 잠시 현실로 놀러 왔다 가는 것은 아닌지 보라
색다운 상상 하나 해본다. 가끔은 또 이렇게 '내가 이상한 것은
아닐까.' 싶어지기도 하지만 그저 꿈속이 조금 더 편할 때일 뿐,
지금은 주어진 현실을 살아가야 할 때! 푹 한숨, 잘 자고 일어나
면 또다시 지금의 현실도 살아낼 힘이 생길 수 있다. 그림과 음악
감상 또는 기도와 명상도 도움을 줄 수 있을 것이다.

★ 그 외 남다른 색깔을 선택한 나에게

빨주노초파남보 이외 가장 많은 질문을 받게 되는 색깔은 바로 블랙 그리고 화이트이다. 그럴 법도 한 것이, 많은 색깔 이름 중 가장 먼저 생겨난 색이름이 낮과 밤, 밝음과 어둠을 의미하는 흰색과 검정이라고 배웠다. 내가 배워온 컬러미러(Colour Mirrors)에서는 Deep Magenta 그리고 Clear로 좀 더 깊은 이야기들을 나누곤 하는데, 이 두 가지 컬러를 보여 줄 때면 한 가지 질문을 더 해본다. "무채색이라 불리는 블랙&화이트는 색깔이 있는 것일까요. 아니면 없다고 해야 할까요." 블랙은 모든 색깔을 합한 것이고, 화이트는 빛의 모든 색을 더한 것이라 안내하곤 한다. 그저 모든 컬러를 안고 있다는 것만으로도 두 가지 색모두 무한한 가능성, 새로운 시작의 알림이라는 메시지 정도는 알아차릴 수 있지 않을까. 어쩌면 그로 인해 지금 당장은 무언가 명확하지 않은 듯, 혼란스러울 수도 있다. 그러나 결국. 나의 선택만이 남아있을 뿐 이미 내 안 모든 색깔이 빛나고 있음을 기억해보면 좋겠다. 혹시 지금, 둘 중 어떤 색에 더 끌리는가. 아직 고르지 못했다면 이렇게 한 번 생각해볼까. 어둠 속이지만 언젠가 만나게 될 빛을 향해가고 있는 터널 속과 어디로든 날아갈 수 있으나 방향을 찾아야 하는 허공의 하늘 위, 혹시 지금의 나는 어디쯤 있는가. 블랙&화이트, 선과 악의 이야기를 나눌 때면 꼭 떠오르는 이들이 있다.

"처음에는 멋이었겠죠. 그런데 왠지 뽀얀 연기를 보면, 시커먼 나를 잠시라도 하얗게 만들어주는 기분이랄까. 뭐, 답답할 때 찾는 거죠. 지금 선생님이 마시는 커피도 그렇지 않나요?" 프로그램 의뢰서 비행 내용란에, 흡연이라는 기록을 안고 찾아온 청소년들과의 만남이었다. 컬러테라피를 통한 금연 교육이 진행되던 날 간식 타임, 잠시 쉬는 시간에 담배를 피워본 적 없던 나에게 많은 깨달음을 주었던 대화였다. 오래전 이제는 구할 수도 없는 〈네 멋대로 해라〉 이나영의 '하얀 파이프'를 선물 받은 적이 있었다. 도무지 숨이 쉬어지지 않을 것만 같던 나에게 마치 인공호흡을 해주듯 큰 숨을 들이마시고 후~하고 불어 낼 때면 답답함을 대신해 내뱉어 주는 것만 같았다. 이와 비슷한 것은 아니었을까. 쓰디쓴 커피, 나에겐 그 순간 달콤한 휴식을 선사해왔다고 생각했기에 애써 찾아왔지 않았던가. 이를 통해 다시금 알아차려 본다. 일에도 해야 하는 일과 하고 싶은 일이 따로 있듯, 나에게 찾아오는 감정과 메시지들에도 전해줘야 하는 것과 그저 받고 싶은 대로 전하게 되는 메시지는 다를 수 있음을 말이다. 어쩌면 하얀 연기로 보였을 뿐, 사실 나를 더 까맣게 태우고 있었다는 것을 우리는 이미 알고 있지 않았던가. 쓰디쓴 커피가 나에게 달콤한 휴식을 주는 것으로 내가 그리 생각해왔다면, 그 또한 나 자신이 바꿀 수도 있지 않을까. 그러니, 좋지 않았다는 것을 알았다면 다른 방법, 대체 컬러도 한번 찾아보는 것도 필요할 것이다.

지금까지 심신 상태를 함께 살펴보고자 일곱 가지 색깔과 더불어 블랙&화이트 이야기를 만나보았다. 여기서 나는 그 외 또 다른 색깔, 남다른 색깔이 궁금하다 싶어지는 이들도 있을 것이다. 분명, 앞서 소개한 색깔들도 하나의 이름으로 불러보았을 뿐, 각기 다른 색깔로 나에게 찾아온 메시지는 모두 다를 수 있다. 앞서 말해왔듯, 만나본 이야기들도 그저 누군가의 이야기를 읽어보았을 뿐, 색깔을 통한 대화는 나 자신과 나눠야 할 몫은 우리 모두에게 똑같이 남아있다. 그러니 혹여나 내가 고른 색깔 이야기가 없다고 서운해하지 않길 바란다.

셋.

색깔로 만난 사람 [관계편]

색깔로 사람 공부해보면 어떨까

컬러로 보는 성향 이야기

『내가 생각하는 나는 무슨 색깔일까』

컬러는 전 연령, 남녀노소 누구나 어디서든 함께 만나 볼 수 있다. 덕분에, 태아부터 유아와 청소년, 대학생은 물론 커플과 가족, 기업 및 지역행사, 종교 불문 다양한 장소에서 많은 이들과 함께할 수 있었다. C 극장에서의 강연과 S 전자 본사 교육 등 외부 강연 외에도 친정아버지와 함께 섰던 강단 그리고 목탁을 앞에 두고 진행했던 법당에서 만난 청년분들과의 시간까지, 어느 하나 귀하지 않은 만남은 없었다. 분명 각기 다른 대상과 그에 따른 제목으로 진행된 시간이었다지만 사실 알고 보면 모두 바라고 또 원했던 것은 하나였다. [나 자신과의 만남] 그래서 언제나 어디서나 묻고 또 물었던 질문 한 가지가 있다. "What's your color?" "내가 생각하는 나는, 무슨 색깔일까요." 결국, '나를 만나는 시간'을 통해 '긍정적인 변화를 꿈꾸는 삶'을 위함이 아니었을까. 그런데 세상은 함께 살아가는 삶이기에 나와 더불어 사람 공부를 해보는 것도 좋지 않을까. 나 자신을 위해서라도 말이

다. 어찌 이 작은 종이 단 몇 장, 몇 가지 컬러만으로 모든 사람의
성향을 담아낼 수 있겠느냐마는, 직접 만나보았고 무척 흥미로
웠던 컬러로 본 성향 이야기들은 담아보려 한다. 나름대로 공통
으로 나타났던 보편적인 특징들을 살펴볼 수 있었기에, 나 그리
고 사람에 대한 색깔 이야기를 한 번쯤 생각해보는 시간은 함께
해 볼 수 있을 것 같다.

100여 명 이상의 단체인원과 함께할 경우, 개인 활동보다는 잠
시나마 서로의 생각도 나눠 볼 수 있는 시간을 갖곤 한다. 그날
도 역시 직장동료들과의 함께하는 자리한 시간이었던지라 이렇
게 질문을 전했다.

"지금, 나는 무슨 색깔로 보이십니까? 오늘은 빨주노초파남보
무지개 색깔과 핑크까지 8컬러의 색깔별 그룹을 만들어 보려 합
니다. 그중 한 가지 색깔을 선택하셨다면 한 번만 자리 이동을 부
탁합니다." 그리고 한 가지 더 안내하는 부분이 있다.

"잘 생각해주세요. 내가 좋아하는 색깔이 아닙니다. 요즘 내가
자꾸 끌리는 색과는 또 다를 수 있습니다. 나 스스로 모습을 떠
올렸을 때, 나와 닮은 색깔은 무엇일지 생각해봐 주시길 부탁합
니다. 오직 색깔만으로 고르기 어려우시다면 해님 같은 노란색,

산 같은 초록색, 바다와 닮은 파란색 등으로 생각해보셔도 좋습니다." 그룹 활동을 하다 보면, 나와 같은 색깔을 고른 이들과의 만남을 가져 볼 수 있어 더욱 흥미롭다.

"자, 지금부터 그룹별 한 장의 종이와 펜을 드리도록 하겠습니다. 같은 색깔을 고른 이들과 함께 장단점을 이야기 나눠보세요. 즉, 내가 고른 색깔을 떠올렸을 때 생각나는 강점과 약점에 관해 의견을 모아 종이에 적어주시기 바랍니다." 흥미로운 광경이 내 눈앞에 펼쳐졌다. 분명 제공된 재료와 주어진 시간은 모두 같았다. 그러나 진행되는 방법은 그룹별–색깔별 차이를 보이기 시작했다.

현장에서 만나본 컬러별 활동 모습

가장 먼저 눈에 띈 것은 ■빨간색을 고른 이가 단 한 명이었던 날이었다. 흔치 않은 경우였지만 빨간색이었기 때문에 이는 홀로 빨간색 자리를 지켰다. 만약, 초록색을 고르던 이의 경우였다면 상황은 달랐을 수 있다. 자신만이 그 색깔을 골랐다는 사실을 아는 순간 색깔을 잘못 고른 척, 슬쩍 옆의 동료를 따라 다른 색 그룹에서 함께 진행했을지도 모른다. 그러나 주도적이고 열정적인 레드 컬러는 혼자일지라도 도전을 외칠 수 있었을 것이다. 나아가 망설임 없이 빠르게 하얀 종이를 가득 채워나갔다.

◆오렌지 컬러, 주황색을 선택한 그룹은 분위기가 가장 화기애애했다. 모두 한자리에 모이기도 전에, 서로 망설임 없이 폭발적인 아이디어들을 쏟아내기 시작했다. 덕분에 전체적인 속도와 분위기는 UP 시킬 순 있었으나 그에 비해 결과에서 막상 종이에는 정리되지 않는 내용들로 살짝쿵 산만함을 드러내기도 했다.

▲노란색을 닮았다고 한 이들의 그룹은 어땠을까. A4 용지를 이리저리 돌려봐야 내용을 살펴볼 수 있었던 노란색 그룹의 종이에는 여러 글씨체로 적혀있는 점이 흥미로웠다. 이는 한 장의 종이를 가운데 두고 빙그르르 둘러앉은 모습에서 알아차릴 수 있었다. 우선 각자 한 명씩 펜을 모두 들고 있었단 사실도 새로웠다. 또한, 각자 적기 편한 위치에 생각나는 대로 한꺼번에 담아두었다는 점이었다. 워낙 생각이 많은 노란색 그룹은 종이의 앞뒤 사용은 물론, 용지 한 장을 더 요청하였다.

●그린 컬러, 초록이 그룹은 어땠을 거라고 예상되는가. 분명 그린컬러 역시 각자 초록색 펜을 들고 있었음에도 종이는 한 명 한 명 앞으로 돌아다니고 있었다. 서로 먼저 쓰라며 선뜻 한 명 이 나서지 못한 상황에 "선생님, 시간이 얼마나 남았나요?" 주 변을 둘러보고 신경 쓰였던 한 사람이 어쩔 수 없이 시작을 외치 고서야 뒤늦게나마 종이는 한 방향으로 돌아가며 작성되었다.

그렇다면 질서정연한 ▼블루 컬러 그룹, 파란색 분들은 이미 기 대되는바, 역시였다. 아니나다를까 설마 했던 예상의 모습과 일 치하여 나에게는 흥미로움을 넘어 놀라움이었다. 차분히 서로 인사를 나누던 중, 한 분이 조심스레 말을 꺼냈다. "그럼 내가 대 표해서 적을게." 가장 높은 직위를 가지신 상사분께서 리더 역 할을 맡아 조직적이고 계획적으로 차근차근 진행되는 모습을 만 나 볼 수 있었다. 블루 그룹에 종이에는 다른 색깔과 달리 유일하 게 1) 2) 3) 숫자가 적혀있었다. 또한, 그저 아무런 선 하나 없는 하얀 A4용지였음에도 불구하고 줄노트에 적힌 듯, 강점과 약점 에 따른 선 구분이 깔끔히 잘 접혀있었다.

지금껏 나온 색깔들에 따라 보여준 모습 중, 하나라도 공감되는 모습이 있다면 남은 색깔들이 더욱 궁금해지지 않는가. 파란색과 닮은 것 같지만 신중함을 넘어 권위적인 모습이 나타나는 네이비, ■남색 그룹은 아마도 서로 대화마저 많지 않았을 것이다. 생각은 했을 테지만 쉽사리 마구 적어내지 못하는 이들이기에 하얀 종이는 가장 많은 여백을 남겼다.

남다른 생각들을 보이는 바이올렛 컬러, ▤보라색을 선택하신 분들이 적어주신 내용에는 궁금증이 유발되어, 오히려 한 번 더 질문이 필요한 대답들이 적혀있었다. 애써 다시금 묻고 또 설명을 요청하진 않았지만 분명히 이 자체만으로도 보라색의 창의성과 남다름은 살펴볼 수 있었다.

그리고 마지막 ★핑크의 그룹 하얀 종이는 어떻게 되어있었을지 한번 미리 상상해보면 어떨까. 아마도 지금 내가 상상한 모습과 그리 다르진 않지 싶다. 가장 먼저 예쁘고 가장 화려했다. 겉으로 드러내는 모습에 대해서도 무척 중요한 핑크 그룹의 종이였기에 리본과 반짝이는 별들, 화려한 꽃들로 채워져 있었다. 내용을 만나보기에 앞서 역시 가장 눈에 띄는 결과지였다.

내가 떠올리는 색깔과 사람들의 행동 속 특징이 닮아 보이는가. 지금껏 함께한 단체 활동 모습에서도 크게 다르진 않았다. 색깔을 통한 사람 공부는 현재, 논문을 통해 대학원에서도 연구를 이어가는 중이다. 이날의 인사는 이렇게 마무리되었다.

"어쩌면 그저 지금 이 순간, 갑작스레 고르게 된 색깔 일 수 있습니다. 그러나 앞으로 팀 프로젝트를 진행하신다거나 업무 분담을 해야 할 때, 오늘의 색깔과 각각의 강·약점들을 떠올려보셔도 좋을 듯합니다. 서로 좀 더 이해하고, 소통하는 데 있어 도움이 되셨으면 좋겠습니다. 그리고 혹시, 지금 선택한 색깔이 마음에 드셨나요. 그렇다면 강점은 더욱 살리고 약점은 보완시키는 방법을 찾아보셔도 좋겠습니다. 만약, 자신이 좋아하는 색깔과 내가 바라본 나의 색깔이 상반되어 나타났다면, 내가 생각한 약점이 강점으로 만들 순 없는지 다시금 찬찬히 만나봐 주시길 부탁합니다. 그저 드넓은 들판이라 생각했던 초록색의 나는 어쩌면 열정적인 레드의 장미를 가득 품고 있던 푸르고 높은 산의 초록이 일 수도 있을 테니까요."

강한 빨강 VS 착한 그린 : 모습

『먼저 드러나는 모습이 다를 뿐이다』

"아야!" 어느 강연장, 심호흡을 가다듬고 한순간 넘어지는 열연을 펼친다. 태교강의 외, 나의 짧은 외침은 차분했던 분위기를 한번쯤 전환 시켜주는 순간이 되기도 한다. 사람들의 시선이 나에게 더욱 집중되었을 때, 그 자리에 멈춰서 질문을 던진다.

"자, 이렇게 만약 길을 지나가다가 넘어졌어요. 어머, 어쩌죠. 무릎에 상처가 나고 피가 흐르기 시작했네요. 혹시 지금 나라면 이 다음 장면. 어떻게 행동하고 있었을까요?"

사실 나는 이미 자신의 색깔을 레드와 그린으로 선택한 이들을 기억하고 있었다. 그리고 빠르게 초록색에 다가가 질문을 던졌다. 그러나 역시 가장 먼저 들려온 대답은 자신을 레드와 닮았다고 해준 이였다. "병원이나 약국을 가겠죠?" 나는 한 가지 더 물었다.

"혹시 치료가 끝나면 어디로 가실 건가요?" 당연하다는 듯 답한 것은 바로 "뭐 치료받았으니까 다시 가던 길 가겠죠."였다. 이제는 어떤 색깔이 대답했는지 내용만을 보고도 알 수 있지 않을까. 혹시 이 대답이 왜 흥미로운지 이해되지 않고, 평범한 대답처럼 느껴지는 나라면, 현실감각과 행동력이 빠른 레드의 강점을 지닌 이가 아닐는지 생각해봐도 좋겠다.

그렇다면 혹시 초록이의 답변은 예상할 수 있겠는가. 이미 다가가 있던 그린 컬러 앞에서 친절히 눈빛으로 다시 한 번 의견을 물었다. "저요? 저는…. 그냥 지나갔을 것 같은데." 초록이의 답변에 나는 기다렸다는 듯, 바로 다음 장면을 이어나갔다. 자리에서 벌떡 일어나 두리번두리번 주변을 살피기 시작했다. 나의 열연 덕분이었는지, 이곳저곳 숨어있던 초록이들의 격한 공감 반응들이 쏟아져 나왔다. "맞아 맞아." 흔히 초록이는 넘어졌다 하더라도 자리에서 조용히 일어나 아무렇지 않은 듯 걸어갈 확률이 높더라는 것이다. 주변에 아무도 없는 곳, 혼자가 될 때까지 말이다. 분명 초록이도 상처도 났고 피도 흐르고 있으며 아픔을 못 느끼는 것은 아니다. 똑같은 상황을 마주하더라도 나의 성향과 나의 그 순간의 상태에 내가 보여지는 모습, 나의 행동 역시 달라질 수 있다는 이야기를 하는 것이다.

앞서 말하건대 색깔 공부를 하기 전, 나는 언제나 착한 초록이
었고 초록이처럼 살아야 한다고 생각했었다. 그런데 과연 진짜
나의 초록이는 다른 이들에게도 착하기만 했을까. 초록이들이
말하는 배려에 관한 이야기를 잠시 색다른 상황으로 생각해보
려 한다.

빨주노초파보 각기 다른 색깔의 성향이 있는 이들이 함께 여행
을 가기로 했다. 먼저 한 명씩 자신의 의견을 내놓았다. 가장 먼
저 주황색 친구가 분위기를 띄웠다. "재밌겠다. 우리 가서 뭐하
지? 캠프파이어는 할 거지?" 흥분한 주황을 진정시키듯 파란색
친구가 말했다. "진정하고, 우리 여행 가려면 어디로 갈 것인지,
무엇이 필요한지 차근차근 계획부터 세우자." 말이 떨어지기 무
섭게 노란색 친구가 말을 이었다. "여기 집중! 봐봐 내가 생각
을 좀 해봤는데, 여행은 말이야……." 말이 길어질 것 같아지자
빨간색 친구는 자리에서 벌떡 일어나 목소리를 높였다. "뭐 그리
말이 많으냐. 그래서 언제 어디로 가자는 건데. 가서 뭐 먹을 거

야. 장도 봐야지, 우선 회비 만 원씩부터 걷어보자." 끝끝내 바라
보던 보라색은 묵직한 한 마디를 툭 던졌다. "다들 그래서 시간
이 되긴 하는 거야?! 난 다른 건 몰라도 잠자리가 편해야 해. 자
는 방 따로 있는 거 아니면 나는 안 갈래." 의견은 많았으나 결정
된 것 하나 없이, 갑분싸가 되려는 순간 초록색이 나섰다.
"다들 왜들 그래. 음, 빨주노초파보 모두 좋은 얘기네." 그러자
모든 이들이 그제야 한마음 한뜻처럼, 입 모아 말했다. "아니 그
러니까 초록이 너의 의견은 뭐냐고?" 그러자 초록이의 대답은
이러하다. "글쎄… 난 뭐든 좋은데, 너희가 좋으면 난 좋아." 과
연 이것이 모두에게 '배려'였을까.

대부분 빨간색은 이중적이고 강한 사람으로 본다. 그에 반해 초
록색은 색깔 중 가장 착한 사람이라 말한다. 앞서 말했듯, 처음에
내가 "왓츠 유어 컬러?"라는 질문을 받았을 때 대답했던 색깔이
바로 콕 집어 초록색이라고 했던 것 같다. 나를 만나는 시간을
통해 초록색이었던 나를 바라보니, 어쩌면 착한 아이 콤플렉스
의 상태였을 수도 있겠구나 싶었다. 분명 상대를 위했고 챙겼으
며 배려했다고 생각했다. 그러나 다시금 들여다보니 어쩌면 나
는 상대가 아닌 '혹시나 나를 미워하진 않을까.' 나에게 찾아올

상처에 대한 두려움에 따른 행동이었을는지도 모른다는 생각마저 들었다. 상대가 나를 싫어하게 될까 봐, 불편해도 싫다는 말을 뱉어내지 못했던 적이 더 많은 것 같다. 생각해보니 어쩌면 나도 사실, 내 안에서는 시뻘건 버럭이가 소리치고 있었는지도 모른다. 아마도 그때의 빨간색은 나에게 버럭이로 찾아와 있었나 보다. 빨간색이 되고 싶지 않고, 될 수조차 없었던 나는 그저, 누군가 나를 대신 해서 버럭이의 역할을 해주기만을 바라던 것은 아니었을까. 그러다 보면 나는 자연스레 상대적 초록색인, 착한 아이가 되어있었나 보다.

다시금 말하는데 어떤 하나의 색깔이 '좋다 or 나쁘다' '착하다 or 악하다' 라고 이야기하고 있는 것이 아니다. 다만, 만약 지금 껏 나처럼 그저 초록색이 착한 색깔이라 생각하여 애써 초록색이 되어보고자 했다면, 한 번쯤은 다시금 생각해보길 바랄 뿐이다. 혹시 아직도 빨강 사람은 독하고 초록색은 순하다고 말할 것인가. 차라리 나에게 착한 사람, 좋은 사람이라고 생각되는 그 사람의 색깔이 무슨 색일지, 어떤 이유로 내가 편안해 하는지 생각해보는 것은 어떨까. 그저 드러내는 모습이 다를 뿐, 언제든 내가 초록이와 빨강이 모두가 될 수 있다.

빨강에게 무작정 멈추라고 소리치지 말아 주세요. 급정거는 오히려 위험할 수 있어요. 건강한 방법으로 풀어낼 수 있도록 해주세요. 도전정신이 강한 열정적인 리더랍니다.

초록이에게도 혼자만의 시간이 필요해요. 슬픔도 자신의 거름으로 사용하는 산이기도 하지만, 거름이 넘치면 한순간에 무너져 버리기도 한답니다. 초록이를 함께 지켜주세요.

기쁜 오렌지 VS 슬픈 블루 : 표현

『표현하는 방법이 다를 수 있다』

피곤한 날, 편의점에 들어가 비타민 음료 하나를 찾았다. 무슨 색깔이던가. 흔히 노랑, 빨강, 오렌지 컬러라고 답할 것이다. 혹시 나에게 비타민민이 되어 줄 사람은 어떤 색깔일까. 주변에서 만날 수 있는 주황이들은 우리에게 활력소가 되어주는 존재들이 많다. 다만, 무엇이든 넘치면 부족한 것보다 못하듯 조용한 휴식이 필요할 땐, 잠시 피하고 싶은 이들로 생각될 수도 있겠다. 한때는 그 누구보다 오렌지 에너지가 넘쳐 보였던 나였다. 그러나 어쩌면 사실 나에게는 슬픈 블루를 감추기 위한 기쁜 오렌지의 가면이 아니었을까 싶기도 하다. 그런 이유로 가장 즐겨 사용했으나 어느 날 이후, 꽤 오랫동안 일부러 피하기도 했던 색깔 주황색이었다. 문득, 낙인의 의미로 쓰이는 주홍글씨마저 떠오르는 주황색이 나에게 과연 기쁜 오렌지 컬러이기만 했을까.

어릴 적부터였던 것 같다. 울지 않기 위해 오히려 더 웃었고, 무겁지 않기 위해 더욱더 밝은 척 애써 주황이가 되어있었다.

마치 웃음을 짓고 있으나 눈물을 머금고 있는 피에로처럼 말이다. 이런 나의 모습에 때로는 무시하고 가벼이 여기는 이들마저 있었으나, 주황이가 숨겨둔 애씀을 알아주는 이도 분명 있었다. "괜찮아? 혹시 무슨 일 있는 건 아니니?" 분명 밝아 보이려 애썼건만, 속아준 이들이 많건만, 유독 밝아 보이려 애썼던 나의 상태를 살펴봐 주던 이들은 역시, 오래도록 내 사람으로 여전히 함께하고 있다.

가장 화려했던 만큼 깊은 상처가 많았던 나의 20대. 대학교 기숙사 생활을 했을 당시, 결코 혼자 있으면 안 될 것 같은 날이 있었다. 나 자신을 스스로 감당하기 어려운 우울함이 찾아오는 것 같은 날엔 일부러 이것저것 간식을 사 들고 사람 많은 곳을 찾아가 그들 속에 함께 있었다. 그런 나의 모습이 누군가에겐 항상 많은 이들을 잘 챙겨주고 퍼다 주는 오지라퍼로 보였을 수도 있을 것이다. 그러나 사실 그때의 나는, 가장 깊은 슬픔을 품은 블루의 감정을 기쁨의 오렌지로 대신 챙겨주고 있던 것은 아니었을까.

감정 전환에 대한 어려움

어느 날, 강의를 마치고 집으로 돌아오기 위해 앉은 차 안. 마치 방금 꿈에서 깨어난 듯 멍하니 앉아있던 나를 발견했다. 그날은 200여 석을 가득 채운 강의장에서 넘치는 에너지로 신나게 한 바탕 웃고 돌아왔던 때였다. 그런데 그 순간, 오렌지 컬러의 고갈이었을까. 왠지 나는 그만 웃어야 할 것 같은 생각마저 들었다. 도대체 이 감정이 무엇인지, 내가 어떤 표정을 지어야 하는지조차 떠오르지 않았다. 마치 전원을 껐다 켜기를 하는 순간 딱 하고 전구가 나가버린 듯, 주황색이었던 내가 한순간에 파란색이 되어 버린 순간이었다.

'무대 위의 있던 나는 누구였던가. 그렇다면 평소의 나는 그 무엇도 아닐까.'

요즘 1인 방송은 점차 늘어나고, 아이돌과 방송인들의 나이는 낮아진 듯하다. 어린 나이에 방송을 통해 많은 관심을 받은 만큼 어쩌면 혼란 속, 자신을 점차 잃어가는 것만 같았을 이들의 안타까운 소식들이 불현듯 떠올랐다. 웃어야만 했으나 웃는 방법조차 잊었고, 나도 내가 누구인지 몰라보는 나를 마주했을 때, 느꼈을 그 무게감은 감히 예상하기조차 조심스럽다. 어쩌면 우리 모두 일상 속, 순간마다 그 역할에 따른 연기를 펼쳐 보이지 않던

가. 웃고 있다고 하여 마냥 기쁜 것만은 아닐 수도 있음을 기억해 보면 좋겠다. 아무리 밝아 보이는 사람이라 할지라도 언제나 하하 호호할 것만 같은 주황색, 이들에게도 항상 따뜻한 관심을 두고 바라봐주길 부탁해본다. 혹여나 가벼이 보일지라도 누구 하나 무시해도 되는, 소중하지 않은 사람은 없다. 주황이 나는 진짜 웃고 있는가. 그 예쁜 미소를 나 자신에게도 전해주길 바란다.

그렇다면, 파랑이는 언제나 슬픔이 인 것일까. 흔히들 우울하고 슬픈 날에는 'Blue day'라고 말한다. 인사이드 아웃 애니메이션에서도 역시, 파랑이의 이름은 바로 슬픔이 이다. 모두 가만히 좀 있었으면 하지만 결코 없어서는 안 될 슬픔이로 등장했었다. 문득 떠오르는 문구 하나가 있다. '바다는 비에 젖지 않는다.' 흔히 헤밍웨이의 노인과 바다를 생각하겠지만, 나는 또다시 나의 20대를 떠올렸다. 패션디자인 학과 학생회를 맡았던 당시, 만들었던 학생회 이름은 바로 '바비 학생회'였다. 패션 인형이 떠오르는 이름이지만 사실 바비에 담긴 의미가 바로 '바다는 비에 젖지 않는다.'였다. 혹시 알고 있는가. 아름답고 연약해 보이기만 하는 그 바비인형은 사실 무기재료로 만들기 시작하여 웬만하면 부러지지 않는 단단함을 지녔다고 한다. 패션과 관련된 흥미로운 이름이면서도, 그만큼 어떤 궂은일이라도 내 일처럼 모두 함께해 나아가겠다는 의지를 담아냈던 것이었다. 그러고 보면 파란 하늘은 비마저 내 것인 양 품고 살아가고, 푸른 바다는 내리는 비를 이미 나의 것이었다는 듯 흔적도 없이 흡수해버리지 않던가. 그렇다고 도움을 주고자 모든 빗물을 덜어내 주려고만 한다면, 어느새 세상은 가뭄이 찾아와 바닥이 드러나 버릴 수도 있다. 그러니 파랑이도 응원의 마음으로 살펴주되 너무 걱정스러운 시선으로만 바라보지 않길 바란다. 누군가는 흔들리는 강물을 보고 왜 그리 흔들리느냐고, 잠시라도 멈춰보면 안 되겠냐고 말할 수 있다. 그러나 멈추는 순간 물이 아닌 얼음이라는 다른 존재가 되어버리듯, 물은 흔들려야 물이라 할 수 있지 않을까. 어쩌면 파랑이의 흔들림은 불안함이 아닌 최선을 다해 평온함을 즐기고 있는 순간일 수도 있을 것이다.

다만, 파랑이들에게 부탁하건대 자신을 인정하기와 표현하는 연습은 해보길 추천한다. 마냥 내린 비마저 어쩔 수 없이 내 것 아니냐고 이유조차 모른 채, 자포자기하듯 안으려고만 할 것인가. 섞여 버릴 수밖에 없는 빗물이라 할지라도 그저 '비'라는 내가 아닌 다른 무언가가 나를 찾아왔었다는 사실만은 알아차리고 언젠가 또 흘려보낼 수 있는 연습을 이어가길 바란다.

"혹시 첫째신가요?" 흔히, 자신을 파랑이라고 소개하는 이들에게 다시 한 번 조심스레 묻는 말이다. '너는 언니잖니, 오빠잖니, 누나잖니, 형이잖니, 첫째잖니.' 어렸을 때부터 수없이 들어왔을 이들은 자신의 색깔을 고를 때, 파란색을 선호하는 모습을 많이 만나 볼 수 있었기 때문이었다. 일상 속 참고 또 참는 것이 학습되어 살아오면서 살짝 아픈 통증쯤은 그냥 지나치게 될지 모른다. 이러한 감정 표현의 절제는 자신 스스로가 조절할 수 있고, 우울함이 아닌 신중함으로 살아가길 바란다. 만약, 하늘과 물처럼 이곳저곳 흘러다니며 세상과 소통하기 좋아하는 이라면, 더 넓은 세상으로 나가는 것도 좋겠으나 나만의 소통 방법을 만들어가길 바란다. 꼭 소리 내 말로 하지 않아도 괜찮다고 하지 않았던가. 그러니 메모 한 장, 나의 일기장은 물론 작사가나 작가 등 글을 통한 소통 창을 만들어 볼 수 있지 않을까. 우울한 슬픔이보다 쿨한 파랑이가 되어주길 바란다.

주황이에게 진짜 즐거운지, 괜찮은지도 물어봐 주세요. 웃음 주는 그들도 진심으로 같이 웃을 수 있도록 함께해주세요. 알고 보면 참 고마운 센스쟁이랍니다.

파랑이에게는 표현할 시간을 충분히 주세요. 자꾸만 답하기 어려운 질문을 던져주는 것보다 내 마음이 담긴 책 또는 자신의 마음을 적어 볼 수 있는 일기장을 선물해보면 어떨까요. 울어도, 실수해도 괜찮다고 말해주세요. 그럼 더 나를 지켜내줄 믿음직한 파랑이랍니다.

번쩍 옐로우 VS 영적 바이올렛: 노력

『나를 먼저 챙겨야 할 때도 있다』

노란색 하면 가장 먼저 떠오르는 것이 무엇인가. 사람에 따라 개나리꽃, 삐약삐약 병아리, 붉은 고추장 비빔밥의 화룡점정 – 달걀 노른자일 수도 있을 것이다. 나는 가장 흔히 '해'에 대한 이야기로 만나본다. 노랑이는 생각했다. '내가 떠야 하루가 시작되는 거야.' 노랑이가 바라본 세상의 모든 것은 나 중심으로 돌아가고 있었다. 흥미롭게도 우리의 신체와 정신적 에너지가 연결된 차크라 컬러에서도 노란색은 가장 가운데, 중심에 자리 잡고 있다. 더불어 노란색을 사람 안에서 찾아보라고 한다면, 많은 이들이 '아이'를 떠올려주곤 한다. 그래서일까. 나이 불문, 노랑이를 좋아하고 닮아있는 이들은 대부분 밝고 해맑으며 긍정적이고 희망적인 이들이 많았다. "있잖아요. 현영이가요……." 도대체 이 자신감은 어디에서 나오는 것일까. 얼마나 사랑하면 말할 때조차 자신의 이름을 스스로 부르고 또 붙여줄까 싶다.

"저요. 저요. 현영이부터요." 가끔은 내가 먼저 하고 싶은 순수한 표현이 누군가에게는 이기적으로 느껴질 만큼 자기중심적일 때도 있지만 말이다. "1 더하기 1은 뭐게요?" 노랑이가 자꾸 물어보는 이유는 무엇일까. 알게 된 사실에서 멈추지 않고 꼭 누군가에게 알려주고자 하는 모습들을 살펴볼 수 있었다. 이런 이유에서인지, 선생님들 대상 교육이 진행될 때 특히, 유치원 선생님들은 10명 중 반 이상, 자신을 노랑이라고 소개한 적도 있었다. 배우고 또 알아낸 것을 누군가에게 알려주는 것에 대해 즐거움과 보람을 느끼는 이들이 아이들의 노란색과도 닮아있음이 흥미로웠다.

혹시, 아이들이 가장 잘하는 질문이 무엇인지 아는가. "왜요?" "이게 뭐예요?" 호기심 천국에 사는 이들을 쉽게 만나 볼 수 있을 것이다. 진로 강의 시, 노랑이들의 강·약점과 직업 등을 더불어 살펴보기 위해 소개되는 이는 바로 유튜버 허팝이다. 이는 구독자 360만 명을 자랑하는 유튜브 크리에이터이다. 아이들은 물론, 누구나 한 번쯤 해보고 싶고 그저 상상 속 어떻게 될지 궁금해하기만 하던 것들을 실제 실험 및 체험을 통해 직접 보여주고 있다. 4미터 수영장을 슬라임 가루 100봉지를 뿌려 액체 괴물 수영장 만들기 영상은 3천만 이상의 조회 수를 기록했고, 초록색

복장을 한 외계인이 되어 유행했던 외계인 댄스를 따라 춰본 영상은 무려 천만뷰를 달성하였다. 이를 본 아이들은 허팝 연구소를 직접 찾아도 가고, 나도 커서 허팝처럼 되고 싶다는 아이들도 늘어났다. 그렇다 보니 학부모님 대상 자녀의 컬러 성향 이야기를 할 때 자녀의 색깔을 노란색이라고 말씀하신 분들께 기억하기 쉽도록 재미로 이러한 이야기를 들려드리곤 한다. "돈 많이 버셔야겠습니다. 아이가 배우고 싶은 것이 많을 수도 있습니다. 그러나 너무 큰 걱정은 하시지 않으셔도 괜찮아요. 배우고 싶은 종류가 다양해서 그렇지 한 가지 꾸준히 오래 하진 않을 순 있답니다." 이 또한 분명 단면적 노랑의 강·약점을 설명하고자 한 일부 특징의 이야기일 뿐 밝고 호기심 가득한 엉뚱함이 있다고 하여 가볍게만 여겨서는 안 된다. 순간 스쳐지나 갈 수 있는 번쩍임을 캐치하고 실제 반짝이는 순간으로 만들어내기까지 그 얼마나 노력했을까. 어쩌면 호기심이란 흥미로운 순간이 가끔은 기쁨만이 아닌 불편함으로 나를 힘들게 할 때도 있지 않았을까.

항상 예민한 상태로 깨어있다가 보니 해결되지 않는 호기심들은 고민으로 찾아와 실제 소화불량 등의 신체적 불편함까지 일으키기도 한다. 그러니 옐로우에게도 가끔은 차분한 휴식과 정리해내는 연습도 필요해 보인다. 문득 생각해보건대, 그래서 어쩌면 애니메이션 인사이드 아웃에서도 빨간색의 버럭이, 파란색의 슬픔이 등 단색과 달리 기쁨이 노랑이는 파란색 헤어와 초록색 의상이 함께 어우러져 있었는지도 모르겠다. 이렇듯 컬러들이 균형을 잡아줄 때 찾아오는 기쁨이 진정 웃음을 선사해 줄 테니 말이다.

노랑이들에게 고하노니, 남들이 나를 몰라 준다 하여 아파하지 말기를. 그저 나를 위로하는 방법을 모르는 것뿐일 수 있다. 나에겐 가장 큰 햇살인 내가 있지 않던가. 나의 노력에 애썼노라 머리 한번 쓰담, 엉덩이 한 번 토닥토닥 해주길 바란다. 다만 햇살도 밤이 되면 달에 잠시 양보해주듯 하루 한 번씩 숨 고르기를 해줄 수 있다면 더욱 좋겠다. 나부터 챙겨야 내일도 해가 쨍하고 다시 떠오를 테니 말이다.

현실 세계로 잠시 머무는 보라돌이

햇살이 잠들어있는 이 밤, 오히려 이 순간을 가장 즐기며 편안해하는 이들이 있다. 바로 보라색, 보라돌이들이지 않을까 싶다. 가장 본능적인 색깔 빨간색과 가장 멀리 떨어져 있는 저 머리 꼭대

기의 색깔이 바로 보라색 아니던가. 즉, 가장 현실과는 먼 이상주의 색깔이다 보니, 흔히 보라색을 좋아한다고 하면 남들과는 조금 다른 시선이 찾아올 때가 있다. 실제, 한 기업 워크숍에서 자신이라고 생각되는 색깔별 그룹이 모인 자리에서 보라색을 선택한 이들은 서로를 바라보며 말했다. "우리 우울증인가 봐. 4차원인가. 남다르긴 하지." 퀴즈를 만들고 풀어내듯 놀이처럼 대화를 나누는 노란색과 달리 '어디까지 가려나?' 싶은, 생각지도 못한 무거운 단어들이 가장 먼저 나오기 시작한 그룹 색깔 역시 보라색이었다. "보라색은 테레사 수녀의 컬러라고도 해요. 그만큼 겸손하고 고귀한 색깔이기도 하지요. 영적 성장과 색다른 시선을 가진 창의적인 그룹이라 할 수 있겠네요." 아무리 보라색의 강점을 이야기해드려도 그 자리에서 한순간 쉽사리 밝아질 분위기는 아니었다.

사실 색깔별 강·약점을 소개하는 데 있어서 함께 이야기 나누고 좀 더 이해하기 쉽도록 누구나 알만한 유명인들의 모습을 강의자료에 담아가곤 한다. 그런데 안타깝게도 보라색에 담겨있던 사진 한 장을 바꿔야만 했다. 사진 속, 우리 곁에서 보라돌이라 불리던 그녀가 갑작스레 스스로 세상을 등지고 떠났다는 가슴 아픈 소식이 찾아왔기 때문이었다. '참 애썼다.' 남들보다 좀 더 빠르게, 시대를 초월해서 살아가는 이에게는 지금 이 현실이 얼마나 낯설고 힘들었을까. 잠시 머무는 동안 최선을 다해 함께하고자 애썼을 것을, 환영해주지는 못할망정 나와 다르다는 이유만으로 밀어내는 이들마저 용서하고 껴안으라고까지 했으니……. 안타깝고 미안한 마음마저 드는 순간이었다. 중고등학교 학생들과 수업 진행 시, 보라색을 선택한 학생들에겐 이렇게 얘기할 때가 있다. "혹시 보라색이 가장 눈에 띄는 사람들 있나요. 지금 손든 이 사람들만은 잠시 엎드려 잠을 청해도 좋습니다." 사실 이렇게 말해도 실제 엎드려 잠드는 아이들은 없었다지만, 그 순간 덕분에 모두에게 강한 공감을 얻곤 한다. 그런데 여기서 고백하건대, 그들에겐 진정 그 누구의 가르침과 그 어떤 깨달음보다, 단 5분이라도 꿈속에서 쉬고 오는 것이 가장 필요한 시간일지도 모른다. 이렇듯 보라색의 상태 또는 영적 에너지가 강한 바이올렛의 사람들에게는 실제 내가 나를 챙기는 시간, 명상 또는 기도 등의 치유법을 추천하곤 한다.

앞서 공간 컬러에서 안내했던 '숙면에 도움을 주는 컬러' 칼럼에서도 보라색을 추천했음을 볼 수 있었을 것이다. 흔히 잠을 잘 오게 하는 향기 하면 라벤더, 라일락 컬러가 떠오르지 않던

가. 머나먼 우주의 꿈나라, 그들이 사는 그곳은 어떤 곳일까. 한 순간 나를 가고 싶던 곳으로 짠 하고 데리고 가주기도 하고, 보고 싶은 이를 데려다주기도 하는 그곳. 남다르게 바라보던 시선들도 모두 사라지고, 내가 해보고 싶은 대로 상상의 날개를 펼쳐 이뤄낼 수 있으니 그 얼마나 편하고 자유로운 시간이겠는가. 다만, 내가 보고 싶은대로 되고싶은 대로 만들어가는 그 순간들이 익숙해지려 한다면 얼른 돌아와 나 자신을 깨워주길 바란다. 현실과 이상 사이가 너무 멀어지다 보면 현실로 돌아오는 길마저 스스로 거부하게 될지도 모른다. 그러니 이럴 땐 더는 깊은 잠에 빠지지 않도록 암막 커튼을 거둬 햇살을 맞이해주길 바란다. 순간 나를 불편하게 하는 듯하지만 사실 가끔은 나라는 중심을 잡고 살아갈 수 있도록, 보완시켜주는 보색인 노랑이의 도움을 받아도 좋지 않을까.

분명, 보라돌이들이 함께하기에 누구도 생각해내지 못한 미래를 만들어 갈 수 있고, 음악과 미술 등 예술의 신비한 힘을 우리에게도 전해주고 있으니 얼마나 고마운 일인가. 그러니 언제든 보라색 세계의 영감과 이야기들을 좀 더 자유로이 들려줄 수 있길 바라본다. 만약 지금, 바이올렛의 나 또는 보라색이 자꾸 눈에 들어오는 상태의 나라면 이 책을 보고 있을 시간이 없다. 잠시 책을 덮고 눈을 감아주어도 좋겠다. 그리고 눈을 떴을 땐 반드시 노란 햇살도 한번 만나주길 부탁한다. 분명 내가 보지 못했을 뿐, 햇살은 나에게도 웃음 짓고 있다.

노랑이들도 마냥 칭찬만 바라는 것은 아니에요. 그저 남들보다 조금 더 호기심이 많고 그만큼 나에 관한 관심과 사랑이 넘칠 뿐이랍니다. 이기심으로 보기보다 내가 행복해야 주변도 밝게 해 줄 수 있는 햇살이라고 생각해주세요. 그럼 나 자신도 함께 웃을 수 있답니다.

보라의 특별함을 무조건 틀렸다고 하진 말아주세요. 누군가에겐 익숙한 일상이 또 다른 이에겐 낯설고 어려운 순간일 수도 있지요. 현실에 맞게 살아야 한다고 강요하지도, 그렇다고 포기하진 말아 주세요. 나마저 놓아버리면 어느새 저 멀리 우주로 정말 떠나버릴지 모르니까요. 떠난 후의 사과와 후회는 아무런 도움이 되지 못한답니다.

이성 로얄블루 VS 감성 핑크 : 속마음

『누구나 인정받고 싶은 마음이 있다』

여기서 로얄블루는 밝은 남색으로, 내가 배운 컬러미러에서 살펴보았던 이름이지만 흔히 우리가 알고 있는 남색이라 생각해도 좋다. 차크라에서 제3의 눈이라 불리는 남색은 사실 색깔 공부를 하면서도 나에게 있어서 가장 무난했기에 낯설었고, 명확했기에 어려웠던 색깔이었다. 아마도 나에게 남색은, 언제나 묵묵히 든든한 버팀목이 되어 주셨던 아버지라는 대상으로 특별히 물음으로 찾아와 본 적이 없던 것만 같은 색깔이었나 보다. 변화무쌍한 길을 걸어온 나에게는, 어찌 그리도 한 결같이, 30년간 한 분야에서 묵묵히 자리를 지켜오실 수 있으셨는지 존경심을 넘어 신기함마저 들었다. 문득, 이제 와 생각해보건대, 아버지가 생각하시는 아버지—나 자신의 컬러는 어떤 색깔이라 말씀하실까.

흔히 이 시간 함께 만나보는 사진은 바로 우주와 심해 바다 모습이다. 온 세상이 바람에 흔들리고 비와 눈을 맞고 있는 순간에도, 언제나 흔들림 없이 잔잔한 심해 바다를 바라보곤 했다. 이러한 고요함이 누군가에겐 차갑고도 냉정함으로 느껴질 수 있겠으나, 가장 이성적으로 결단을 내릴 수 있는 강직함으로 볼 수도 있지 않을까. 감정 또는 주변에 쉽사리 흔들리지 않기에 남들이 보지 못하는 면까지도 통찰할 수 있었을 것이다. 이러한 면에서 지도 자로서의 강점을 지닌 이성의 로얄블루, 남색이라 말한다.

그런데 혹시, 차가운 냉탕에 들어가 앉아있어 본 적이 있는가. 나의 어릴 적 추억 속에는 한 번 들어가면 해 질 녘까지 나오지 않았던 바닷속의 그 따스한 온기가 여전히 남아있는 듯하다. 처음 발끝이 닿을 땐, 온몸이 얼어붙듯 차디차게만 느껴지던 물속도 잠시 앉아있어 보면 어느 순간 그 안의 따스함도 느낄 수 있지 않던가. 이처럼 어쩌면, 남색의 이들의 첫 모습은 조금 냉정해 보일지라도, 보면 볼수록 깊게 빠져드는 매력적인 심해 바다였던 것은 아닐까.

이해와 재미를 위해, 이런 질문을 던질 때가 있다. "제가요. 조금 어렵게 엄마가 되는 과정을 겪다 보니 어느 순간, 출산 당시 제 몸무게가 29kg가 쪄있더라고요. 이후 꼭 출산 때문만은 아니었겠지만, 한 번 찐 살은 참 빼기가 더 어렵잖아요. 지금이라도 다 이어트 해야겠죠?" 그리고는 조용히 초록이 앞에 다가가 도움 의 눈길을 보내듯 미소를 지어 보였다. "음, 제가 보기 괜찮은데 요. 아프거나 하지 않는다면, 지금도 좋으신걸요." 이렇게 나는 초록이에게 먼저 위안을 받는다. 그러나 진정 나를 위한다면 어 떤 색깔에 다가가 물어봐야 나는 것일까. 다시 용기를 내어 남 색 앞으로 다가섰다. "저 원래, 이렇게 숨쉬기 힘들고 막 이러지 는 않았거든요. 진짜 빼긴 빼야겠죠?" 내가 물은 의도마저 알아 차리신 듯 망설임 없이 답해주셨다. "네, 빼는 것이 앞으로의 건 강에도 좋고, 활동하시기도 훨씬 도움될 거예요." 미래를 예측 하듯 확고한 답변이 들려왔다. 사실 내가 굳이 묻지 않았더라면 먼저 손을 들거나 나서서 대답해 주려 하진 않았을 수 있다. 다 만 이렇듯 정중히 개인적으로 도움을 청하면 가장 실질적으로 도움되는 해결책을 제시해 줄 수 있는 이는 남색이라 할 수 있다. 단, 매서운 솔직함과 표현에 잠시 따끔한 상처받을 견딜 준비만 되어 있다면 말이다.

그렇다면 왜 우리는 차갑다고 느끼고 흔히 무뚝뚝하고 재미없는 사람이라 생각하는 것일까. 어쩌면 내가 바라던 모습과 조금 달 랐을 뿐 그를 차갑다고 만든 건 나의 시선이 만들어 낸 것은 아니었을까. 그저 바라보는 시야의 폭과 생각하는 깊이 그리고 바라보는 방향이 조금 남다른 것뿐이었는지도 모른다.

생애 주기별 프로그램 시니어 대상 시간에 만나보았던 남색의 사연을 공유해본다. "여보, 나가는 길에 쓰레기 좀 버려줘요." 남편의 출근길, 주방에 있던 아내는 소리쳤다. 출근한 후에야 신발장 앞을 가보니 재활용 상자가 그 자리 그대로 남아있었다. 어찌 된 일일까.

퇴근하고 돌아온 남편을 본 아내는 참고 있었던 것을 터뜨리듯 하소연하기 시작했다. "당신은 어쩜 그리 무심할 수가 있어요. 나를 무시하는 건가. 내가 그렇게 말을 했는데도 어떻게 도와주지 않을 수가 있지." 어쩌면 아내는 그저 서운한 마음을 달래주길, 알아주기만이라도 했으면 하는 바람이었을 것이다. 그런데 그때 예상치 못한 반응이 찾아왔다. 묵묵히 아내의 이야기를 듣고 있던 남편의 표정은 이 상황 자체가 이해되지 않는 듯, 억울하기까지 한 듯 보였다. 이러한 사연이 이어지자 강의장 한편에서, 실제 자신을 남색 중에서도 남색이라고 소개하며 그 남편의 상황을 대변해보겠노라 말씀하셨다. "보소. 칭찬은 안 해줘도 알아는 줘야지. 아니 그럼 처음부터 제대로 말을 하던가. 신발장 앞에 있는 재활용 상자와 쓰레기봉투 둘 다 모두 갖고 내려가 버려달라고 얘기를 했어야죠." 사실 남편도 표현은 안 했지만, 하소연이 아닌 고마움의 인사라도 듣고 싶었을 것이다. 그러고 보니 남색의 남편은 아내의 말을 듣고 바쁜 출근길에도 분명 쓰레기를 버렸다. 다만, 그 옆 재활용박스도 함께 있었을 뿐. 둘은 과연 무엇이 문제였을까. 정말 아내 말대로 남편은 알고도 아내의 말을 무시했던 것일까. 어쩌면 남색 남편은 자신에게 있어 최선이었을 수도 있지 않을까. 흔히 남색의 성향을 강하게 지닌 이들은, 앞만 보고 달리는 직관력이 뛰어나고 그만큼 미래지향적인 사람이라 말한다. 그러나 아무리 멀리 바라보는 예지력이 뛰어난 남색일지라도 아내와의 이런 미래까지는 미처 보지 못했었나 보다.

커다란 핑크 리본을 달고 있는 이에게

만약, 면접장에서 가장 신뢰적이고 무난하게 보일 수 있는 남색 정장과 달리 핑크색 커다란 리본이 달고 있는 아이에게 앞의 사례와 같은 부탁을 했다면 어땠을까. 이 또한 그저 일부의 반응이겠지만 흔히 핑크 성향 강한 이들은 "엄마, 나 잘했어?" 먼저 다가와 물어보며 칭찬을 기다렸을 것이다. 때로는 "안돼. 나 출근길에 냄새나면 어떡하라고. 손에 냄새나면 안 되니까. 당신이 버려줘." 자신의 체면이 먼저인 핑크의 남편 모습을 만나 볼 수도 있을 것이다. 이러한 핑크들은 무슨 메시지를 전하고 있는 것일까. 커다란 리본을 달고 있으면서 자신을 바라보지 말아 달라고 말할 수는 없을 것이다.

핑크빛 강한 성향을 보여주는 이들에게 물어본다. "지금 무대 하나 만들어 볼 거래. 그렇다면, 핑크 너는 무대 어디에 서서, 무엇을 하고 싶니?" 지금껏 만나 온 핑크 중, 적어도 자신을 소개하는 데 있어서 당연히 핑크라 망설이지 않던 이들의 답변은 모두 무대 위에서 나의 장기로 아름답고 멋진 모습으로 서 있을 것이라 답했다. 여기서 잠깐, 오해하지 말아야 하는 것은 흔히 스타병 또는 공주병 등 표현되는 뜻이 아니라 핑크의 생각에서는 함께 무대를 꾸미는 데 있어서 내가 가장 도움이 될 만한 곳이 무대 위라고 생각했을 것이라는 점이다.

솔직히 핑크는 무대 뒤에서의 조명 또는 음향감독 등 남들에게 보이지 않는 자리에서의 역할에 크게 흥미나 만족감을 느끼지 못한다. 그러나 무대 위에서만큼은 사람들의 시선과 박수, 관심들에 응원을 받아 더욱 자신이 해낼 수 있는 능력들을 발휘해 낼 수 있는 곳으로 무대를 선택해야 마땅했을 것이다. 핑크 입장에 서는 말이다. 실제 핑크 옷을 가장 많이 만날 수 있는 이들은 바로 칭찬과 관심받기 좋아하는 빠르면 4세부터 5~6세의 핑크 공주들이라 할 수 있다. 마냥 예쁘다는 소리를 들을 수 있을 때이지 않을까. 이들은 알고 있었을지도 모른다. 평생 이때만큼 칭찬과 관심받을 수 있는 시기, 핑크를 마음껏 입을 수 있는 시기는 없다는 점을 말이다.

그렇다면 혹시, 핑크에 대한 가장 높은 선호도를 보이는 이들은 누구일 거로 생각하는가. 전 연령 남녀노소 수많은 이들을 만나며 가장 흥미로운 순간이기도 했던, 그때. 10대~20대 여성에서 핑크 선호도가 높을 것이라는 예상과 달리, 50대를 넘는, 한 때는 기러기 아빠라 불리던 아버님들의 사이에서 가장 높은 관심을 보였다. 내가 만난 '기러기 아버지'들은 외로이 한 다리로 서서 나도 좀 봐달라고 핑크빛 날갯짓을 하는 홍학의 모습과도 닮아 있었다. 사회와 가정 어디에서도 점차 나의 필요성, 존재감마저 사라지는 것만 같다는 말씀들이 관심을 필요로 하는 핑크를 선호하는 이유를 뒷받침해주었던 것 같다. 그러나 다행스럽게도 자기 자신을 양육(몸과 마음이 온전하게 성장하도록 돌봄)하기 시작한 모습들을 보이기도 했다.

흔히 핑크들에 말하길, 남들에게만 사랑받으려 애쓰지 말고 그 누구보다 자기 자신부터 아끼고 사랑해보길 추천한다. 이렇듯 인정받기 바라는 마음을, 일명 관종이라 단정 지을 수 있을까. SNS의 '나 이거 샀어. 이거 먹었어. 여기 가봤어.'라고 하는 모습에 애써 '예쁘다. 좋겠다. 부럽다'라고 하지 않아도 괜찮다. 다만, 굳이 상대의 마음을 알면서도 오히려 모르는 척 '어디서 자랑질이냐, 그렇게 관심받고 싶은 것이냐.'며 더 외로이 만들어야만 하는 것일까. 흔히 배고프면 밥이 먹고 싶듯, 마음이 고파서 관심이 필요한 이들 일 수도 있지 않을까. 남들보다 좀 더 간절히 사랑을 받고 싶은 마음이 죄는 아니지 않던가. 아무리 무플보단 악플이 낫다고 말하던 이들도 응원의 관심이 필요했을 뿐, 상처를 내도 괜찮다는 말은 결코 아님을 기억했으면 좋겠다. 단, 핑크인 나도 혼자가 아닌 다른 이들과 함께하고자 할 때면, 혹시 나의 핑크빛 커다란 리본이 불편하게 하는 것은 아닌지 한 번쯤 어우러짐을 생각해봐 주는 것도 좋겠다. 타인에게 피해는 주는 것이 아니라면 기왕 할 거, 당당하게 뽐내주길 바란다. 매일 아침 거울을 보며 인사해주자. "너 참 눈부시게 빛나는구나."

남색에 좀 더 명확히 말해주세요. 사실은 친절히 잘 알려주기만 한다면, 무척 착실하고 뭐든지 꼼꼼히 잘해낼 줄 아는 속 깊고 따뜻한 사람이랍니다. 표현하는 방법도 알려주세요.

핑크에 자신을 만나 볼 기회를 선물해주세요. "나 예뻐?" 계속되는 질문에 핑크를 무시하거나 아름답지 않다고 소리치는 대신 예쁜 거울 하나를 선물해주세요. 핑크도 자신의 진짜 아름다움을 아직 확인하지 못했을 뿐, 자신을 존중하고 사랑하는 마음까지도 채워진다면 내면의 아름다움마저 빛날 수 있답니다.

나와 가장 잘 어울리는 사람의 색깔

『서로 다른 시선을 가졌을 뿐이다』

"선생님, 그럼 선생님은 무슨 색깔 사람과 가장 잘 어울리시는 것 같으세요?" 잠시 고민했으나, 나는 다시 질문으로 답해드렸다. "혹시, 어떤 색깔인 저에게 물어봐 주시는 거예요?" 다행스럽게도 이미 5주간 함께 프로그램을 나눠온 뒤였기에, 이미 그것으로 대답은 충분했다는 듯 미소를 지어 주셨다. 내 말인즉슨, 그때마다 다를 거란 이야기였다. 나 자신의 색깔과 더불어 누구를, 어디에서, 어떤 이유로 만났는지에 따라 또 다를 수 있음을 이야기를 드렸던 것이었다. 여기서 잠시 고민했던 이유가 또 하나 있다. '어울리다'의 의미에 대함이었다. 자주 어우러져 지내는 것에 대한 것인지 또는 나와 잘 통하는 사람인지를 떠올려 보았다. 그러나 결국, 두 가지 의미도 모두 답변은 마찬가지였던 것 같다. 다만, 현재 내게 맡은 역할에 따라 내가 찾아가게 되는 사람의 색깔들은 생각해 볼 수 있었다.

예를 들어 강사로서는 역시 가장 빠르게 반응하고 적극적인 모습의 레드 컬러와 많은 대화를 주고받게 되는 것 같다. 같은 이유로 오히려 블루 또는 바이올렛 컬러에 더 많은 관심을 두고 있긴 하지만 말이다. 그 외 평소에는 공감대가 많은 노란색과 일상을 자주 나누는 편이고, 취미나 특별한 활동으로 만나는 이들은 바이올렛 컬러들도 많았다. 때로는 나도 속 이야기를 편히 나누고 싶을 때면 산처럼 묵묵히 그 자리에 있어 주는 나의 초록이들을 만나러 가기도 한다. 그런데 만약, 내가 가장 잘 어울리는 사람의 색깔을 찾고자 한다면 아마도 클리어-투명이 아닐까. 조금은 이기적인 듯하지만, 가끔은 나도 그 어떤 배려도 생각 하나 없이 마냥 모든 것을 툭 털어놓을 수 있는, 그럴 때면 그저 머리 한번 쓰담 쓰담 위로받을 수 있는 투명 요정 하나쯤 있으면 좋겠다 싶다.

가끔, 커플 상담 또는 연애를 꿈꾸는 분들이 자신과 어울리는 연인의 색깔을 나에게 묻곤 한다. '그것을 알았으면 진작 내가 투명을 만나지 않았을까. '단, 나 자신에게 있어서 어떤 색깔의, 어떠한 만남을 선호하는지, 더 좋은 만남이라 생각하는지는 나눠볼 수 있었다.

흔히 연애 할 때 보면 이런 질문은 받아 본 적 있지 않던가? "어떤 점이 좋아서 반했나요?" 공통점이 많아서 편안하다는 커플과 서로 너무 달라서 그것이 매력적이었다는 대답들이 있었다. 그런데 참 흥미롭게도 연애를 시작할 땐 그렇게 닮아서 편안하다고 했던 커플들도 어느 순간 서로의 닮음으로 인해 헤어짐을 선택하고 있기도 하더라는 점이었다. 다름의 매력에 대해서도 마찬가지였다. 꼭 연인 관계에서만 그런 것은 아니다. 친구 관계에서도 보면 어느 때는 나와 같은 취향이라고 그리도 붙어 다니다가 어느 순간 나와 닮아도 너무 닮은 친구에게서 나의 부정적인 모습도 마주하다 보니 불편하여 피하게 된다는 이들도 만나볼 수 있었다. 결국, 나와 가장 잘 어울리는 사람의 색깔을 찾아 만나려 한다는 것은 처음부터 욕심 아니었을까.

한 가지, 이런 생각들을 안고 더 많은 이들을 만나보며 나에게는 또 한가지 찾아온 생각이 있었다. '이 세상 결코 똑같은 색깔의 사람은 없구나.' 하나의 빨간색이라 할지라도 칼칼한 빨간색, 무서운 빨간색, 매혹적인 빨간색 각기 너무 다르지 않은가. 아무리 닮은 것 같다 해도 결국 너와 나는 다른 이었다. 그러나 그리도 다르다고 생각했던 우리는 서로에게 배우고 또 스며들며 어느 순간 닮아있는 것 같기도 하더라. 시원함을 느끼게 해주던 파란 바다가 어느 순간 노을에 물들어 붉은 바다가 되어주기도 하듯이 말이다. 화가 날 때면 소리부터 지르는 빨간색, 화도 제대로 내지 못해 피해버리고 마는 초록색, 냉정한 척하지만 자신이 가장 흔들리고 우울해져 버릴 수 있는 파란색 등 각기 다른 시선을 가졌을 뿐이다. 하나, 나를 표현하고 누군가와 함께하고자 했던 마음만은 하나 아니었을까.

다름을 알아차리고 존중해주기

이 기회를 통해 꼭 한번 나누고 싶은 이야기가 있다. 내 블로그에는 소소한 일상과 그 안에서 함께 나누면 좋을 법한 정보가 있을 때면 공유해오곤 했다. 그런데 내가 갔던 장소 또는 그곳에서 만난 이들과의 불편함을 겪은 이들이 찾아와, 댓글과 댓글로 서로 싸우거나 나에게 괜스레 화풀이하고 사라져버리는 이들도 있었다. 그 어떤 불편한 상황을 겪었을는지 알지 못하는 나로서는 당황스러울 뿐이다. 그런데 문득, 정말 나와 같은 장소, 같은 이를 만나긴 했을까 싶은 생각이 들었다. 나에게만큼은 분명 좋은 기억의 장소이자 만남이었기 때문이다. 여기서 조심스레 질문 하나를 남긴다.

혹시, 같은 상황 속에서 나만 불쾌감으로 찾아 왔다면, 어쩌면 나의 색깔, 나의 색다른 시선으로 인해 찾아온 불편함은 아니었을까. 결코 '네 잘 못일 수도 있잖아.' 라고 해석하거나 오해하진 않았으면 좋겠다. 다만 힘듦을 호소하며 나를 찾는 이들 중, 나 자신 스스로가 나를 가장 힘들게 하는 이들을 봐왔던 안타까움에서 나누는 이야기라 생각해주면 좋겠다. '왜 꼭 나에게만 이런 사람들이 찾아오지 또는 이런 상황들이 왜 나에게만 반복되는 것일까?' 생각에 매번 힘들어하면서도 결코, 나 자신에게 변화를 주려 하는 이들의 모습을 찾긴 힘들었기 때문이다. 만약, 꽤 오랫동안 사람들과의 반복되는 불편함이 있었다면 적어도 한 번쯤은 상대의 변화를 바라기에 앞서 나의 색깔에 변화를 줘 보면 어떨까. 나 자신을 위해서 말이다.

앞서 내가 던진 질문을 기억하는가. '무슨 색깔의 사람과 가장 잘 어울릴까.' 혹시 지금의 대답 색깔 변화는 없을는지 궁금해진다. 우리는 서로 참 닮은 듯하지만 다르다. 다름은 다름일 뿐, 불편함 또는 불쾌감 등 또 다른 이름으로 애써 만들려 하진 않길 바라본다.

'어둠이 있기에 밝음이 존재하듯, 누군가의 침묵이 있기에 당신이 빛나고 있을 수도 있음을 기억해 주기 바란다.' 무슨 색깔, 그 이름이 그리도 중요하겠는가. 그저 다름을 인정할 수 있다면 그것만으로도 나 자신에게 주는 또 하나의 선물이 될 수 있을 것이다.

타인이 바라 본 나의 컬러

『나도 사실 카멜레온인지도 모른다』

어느 마켓 행사에서 커플 상담을 진행했던 적이 있다. 누가 봐도 참 잘 어울리고 따뜻해 보이는 커플이 찾아왔다. 각자 자신의 색깔에 대해 둘 다 모두 초록색을 골랐다. 그래서 이렇게 서로 배려가 넘치고 마음도 잘 챙겨주는 커플이었구나 싶었다. 그러나 서로에게 대한 불안함을 드러내기도 했다. 배려가 넘치는 커플답게 상대방 때문이 아니라 내가 부족해서라고 입을 모았다. 여자 친구가 말했다. 나도 남자친구의 고민도 잘 들어주는 든든한 여자친구가 되고 싶다고 했다. 그런데 남자친구는 자신에게 속 이야기를 잘 하지 않는 것 같다고, 이럴 때면 홀연히 혼자만의 여행을 떠나곤 하는 남자친구에 대한 서운함을 털어놓기 시작했다. 차분히 여자친구의 이야기를 듣던 남자친구의 대답은 이러했다. 분명 여자친구에게 수차례 얘기했지만, 신뢰하지 못하거나 힘이 되지 않는 것이 아니라고 말이다. 그저 자신은 잠시 혼자만의 시간이 필요했을 뿐이라고, 오히려 왜 믿어주지 않으냐는 듯 살짝 억울함을 호소하기도 했다.

이 순간 사실 누구보다 내가 가장 많이 놀라곤 한다. 흔히 자신을 초록색이라 소개하거나 그린 컬러를 선호하는 이들을 만날 때면, 신기할 만큼 이러한 비슷한 경우의 상황들을 자주 마주하게 되기 때문이다. 그린 컬러들은 주변 많은 이들을 챙기다 보면 자기 자신을 놓칠 때가 찾아오는데 이때, 상대방에게 거절 또는 자신의 힘듦을 잘 표현하지 못하고 배려라는 이름으로 혼자만의 시간이 필요하다고들 말한다. 이렇듯 초록색 성향이 명확하게 드러나는 순간을 만났다.

그런데 여기서 흥미로운 점을 또 하나 발견 할 수 있었다. 서로에 대해 너무나도 잘 알고 있다고 자신했던 처음과 달리, 서로를 바라보고 떠올려 준 색깔은 각기 달랐다는 점이었다. 여자친구가 말하길, 가끔은 차가운 것 같기도 하고, 그만큼 차분하고 책임감이 강한 남자친구를 보면 파란색이 떠오른다고 했다. 남자친구 역시, 여자친구가 고른 초록색이 맞긴 한 것 같은데 가끔 내 앞에서만큼은 아이 같은 노란색이 아닐까 싶은 생각도 든다고 답했다. 둘 다 모두 초록색과 크게 상반된 색깔은 아니었으나 내가 고른 색과 타인이 바라보는 나의 색은 다를 수도 있음을 알아차려 볼 수 있는 이야기였다.

커플과 같은 두 명 이상 단체 또는 가족, 특히 아이와 부모 상담

시에는 자신이 생각하는 색깔과 더불어 서로에 대한 색깔을 묻곤 한다. 앞서 만나 본 커플이 다녀간 자리에 한 아이와 엄마가 앉았었다. 서로를 바라보며 떠오르는 색깔에 대해, 아이가 엄마를 떠올리며 빨간색 색연필을 골라 색칠하려는 순간, 옆에 있던 엄마가 소리쳤다. "어머 얘, 아니야. 엄마가 얼마나 평화주의 초록색인데 그러니." 마치 강한 부정이 담긴 듯, 당혹스러움을 드러냈다. 이후 이야기가 무척 특별했다. 아이가 말하길, 아이가 떠올린 빨간색은 평화주의의 반대되는 강압적인 이미지가 아니라 열정적인 슈퍼우먼의 우리 엄마를 떠올렸다는 것이다. 그제야 엄마는 안심된 듯, 평소 자신이 레드 컬러에 대해 어떻게 생각했는지 다시금 생각해 볼 기회가 되었다고 말했다. 이렇듯 선택한 색깔보다 더 중요한 것은 이렇듯 보이는 것보다 그 시간을 통해 다름을 알아차리고 서로 몰랐던 부분에 대해서는 소통해가는 것이 얼마나 중요한지를 기억해보면 좋을 것 같다.

동료, 친구, 가족 등 내 주변 사람들에게 나를 어떻게 생각하는지, 나는 상대에게 어떤 사람이 되어 줄 수 있는지 직접 물어보기 어렵다면, 그저 나를 보고 떠오르는 색깔 하나쯤은 물어볼 수 있지 않을까. 간단하지만 새로운 대화의 시작을 열어줄 순간이 될 순 있지 않을까. 어쩌면 시간을 통해 서로 다르게 바라보고 또 생각해왔던 또 다른 서로의 모습과 이야기들을 만나 볼 수 있지 않을까 기대해보는 바이다.

혹시, 내가 평소 시원시원한 파란색이라 하더라도 나의 그 누군가, 단 한 사람 앞에서만큼은 관심과 챙김을 받고 싶은 핑크로 보이고 싶을 때도 있지 않던가. 그럴 때면 보이고 싶은 핑크의 컬러 성향을 살펴보는 것과 더불어 상대가 어떤 색깔로 빛나고 있는지도 살펴보면 더욱 좋겠다. 당신도 언제나 책임감 강한 파란색일 필요는 없다. 가끔은 슬픔이의 파랑이가 되기도 하고, 언제든 내가 선택할 때면 긍정 아이콘의 노랑이가 될 수도 있다. 당신도 알고 보면 스스로 자신의 색깔을 선택하여 변화할 수 있는 카멜레온이었는지도 모른다.

무지개를 보고 배 아파하지 말기를,
그저 '예쁘다' 바라봐주기를

색깔을 통해 사람을 만나 보았다. 내 주변 사람들의 날씨는 어떠했는가. 나와 더불어 나를 감싸고 있던 이들의 색깔 풍경을 한번쯤 살펴봤길 바란다. 그리고 혹시 이 시간을 통해 무지개를 만난 이도 있을까. 가끔은 모든 것을 다 가진 것만 같은 이들이 한 명씩 주변에 있기 마련이더라. 부러움에 괜스레 무지개는 원래부터 아름다움을 그냥 갖고 태어난 것이라며 단정 짓고 보니 내 배만 아파져 오는 순간도 있었을지 모른다. 그러나 이렇게 생각해보면 어떨까. 무지개 역시 누군가의 눈물이 지나간 뒤 찾아온 애쓴 노력의 빛일 수 있다는 사실을 말이다. 그 짧은 순간의 빛을 조금이나마 더 오래 이어가고자 얼마나 해맑게 웃고만 있어야 했는지 생각해본다면, 시기와 질투의 시선보다 그저 무지개 그 자체의 아름다움을 바라보며 나도 함께 웃을 수 있지 않을까. '거봐 나 진짜 아프다고 했잖아. 이제 믿어줄 거지.' 떠나가는 이들을 보며 미안하다가 뒤늦은 후회와 전해지지 않을 사과만 하지 말고, 예쁘면 예쁘다 말해주면 그 예쁜 무지개를 더 오래 볼 수 있지 않을까. 어쩌면 아플 때 같이 아파주는 것보다 웃을 때 더 많이 웃을 수 있도록 함께 웃어주는 이가 필요했었는지도 모르겠다. 당신이 보고 있는 그 세상은 오직 당신에게만 보인다는 사실을 기억하길 바란다. 당신이 만약, 타인을 향해 오로지 검은색만을 고집한다면 그 어떤 아름다운 색깔이 눈앞에 찾아와도 당신에겐 그 아름다운 빛, 무지개는 절대 찾아오지 않음을 기억하길 바란다.

넷.

색깔로 주는 변화 [실천편]

색깔 하나 바꾼다고 달라질 수 있을까

색다른 시선으로 만나보기

『바꿔줄 순 없어도 다르게 바라 볼 순 있다』

이제는 실천이다. 변화의 경험, 색깔이 주는 메시지, 나와 타인 그리고 세상을 살아온 순간들을 다시금 만나보지 않았던가. 결국, 진정 나 자신이 이야기는 여기서부터라 할 수 있다. 컬러인터랙터 프로그램을 시작하기에 앞서 나는 반드시 [Meet 만나보다 Know 인지하다 Act 행동하다 Change 변화하다] 과정을 소개한다. 더불어 분명 나는 최선을 다해 아는 것과 나누고자 하는 모든 것을 전해드릴 순 있으나, 내가 직접 해 드릴 수 있는 것은 아무것도 없다는 점 또한 미리 안내 드리고 있다. 감사하게도 대부분 나와 만나는 동안 Meet 만나보다 와 know 인지하다 알아차리는 과정까지는 많은 분이 함께하고 있다. 그러나 그보다 훨씬 더 중요한 것은 이후 Act 행동하기부터 임을 말씀드린다. 이제는 너무 유명해진 대사라지만 그만큼 중요하다고 생각되는 메시지, 매트릭스 영화 모피어스 대사도 있지 않던가. '길을 아는 것과 그 길을 걷는 것은 분명히 다르다.' 행동 그리고 변화하기의 부분을 더욱 강조하는 이유다. 강의장을 들어올 때와 나갈 때, 분명 색다른 시선을 가지게 된다고들 말한다. 이처럼 책을 펼치기 전과 덮게 될 때면, 색다르게 다가오는 색깔이 있는지부터 만나 볼 수 있길 바란다.

사실 전문가 자격증을 수료하고도 컬러인터랙터 수료과정을 찾아와 주시는 분들이 있다. 대부분, 어디서부터 무엇을 어떻게 시작해야 할 활용법을 모르겠다 하거나 배움에서 멈춰있는 경우들이 많았다. 수차례 물어오는 자격증과정에 대해 꽤 오랜 고민을 하고도 결국 수료증과 책으로 대신하고자 함은 더 많은 이들과 함께 나누고 싶은 간절함에 있다. 작년 공저한 <글을 파는 편의점>에서도 나는 '모모의 편의점'이란 글로 이 마음을 담은 적이 있다. 열정페이로 나를 낮추는 것이 아니라 자신에게 가장 투자하기 어려운 엄마라는 나로서, 최대 커피값 하루에 한 잔 정도 아끼는 그 이상의 비용은, 실질적으로 배움의 기회 자체가 갖기 어려웠기 때문이었다. 그만큼 행하고 변화하길 바라는 간절함을 다시금 강조하고자 한다. 이제는 책 한 권이지 않던가. 보는 이들에겐 그저 글자였을 수 있는 순간들이 나에게는 리얼한 현실이었고 삶이었다. 보는 것만으로 과거를 바꿔 줄 순 없겠지만, 누군가의 미래를 바꿔준 책으로 이제부터 나 자신이 만들어 줄 수도 있지 않겠는가. 오직 나의 이야기로만 끝날 수 있는 이 순간이 누군가에게는 변화의 시작이길 간절히 바라본다.

내가 만나온 이들 중 많은 이들이 변화하지 못한 이유 중 하나로 멋스러움을 포기하지 못함을 꼽았다. 이미 시작을 해놓고도 그것은 무효라며 아직이라고 외치는 이들도 많았다. 행동과 변화가 꼭 거창해야만 하는 것일까. 아는 만큼 또 다른 세상이 보인다고 하지 않던가. 수많은 색깔의 메시지 중, 생각나는 한 가지부터 무조건 실행으로 직접 만나보길 부탁한다. 그저 서먹한 분위기의 아무렇게 던질 수 있는 이야기가 될지언정 그 또한 누군가와 새로운 대화의 시작이 되어 줄 수도 있지 않을까. 서로의 취향, 기분 상태, 색다른 만남으로 이끌어 줄 수 있는 나만의 스페셜 아이템이 될 수도 있을 것이다. 이 세상 모든 것에는 색깔이 함께하고 있기에 그 무엇이 되었든 내가 좀 더 편히 다가가 볼 수 있는 나의 관심사에서부터 시작해보면 어떨까.

문득 떠올라 살펴본 나의 플레이리스트에는 응원하는 메시지들이 가득한 노래들이 담겨있었다. 사실 잘 알고 있던 노래들은 아니었지만 얼마 전 갑작스레 듣고 싶어 하나둘 모아두었던 곡들이었는데 이 곡들에는 공통점이 있다.

가장 따뜻한 위로 소란 / 그대 오늘도 잘 해냈어요 최한솔 / 잘 될 거예요 윤딴딴 / Nobody Knows Swallow / 잘 지내고 있는 거니 양다일 / 유난히 힘이 들 때 소요 / 듣고 자요 그_냥 / 별 보러 가자 적재 / 그대에게 강아솔 / Good Night 10cm / 우린 달랐고 달랐어 기프트 / 새벽의 노래 DUSKY80 / 한낮의 꿈 아이유(Fest. 양희은)

이를 보며 혹시 떠오른 색깔이 있을까. 대부분 이적의 〈걱정 말아요. 그대〉의 시작 부분만 들어도 느낄 수 있는 바로 기타 연주가 함께하는 노래들이었다. 나에게는 왠지 기타의 현 소리가, 마치 자신을 희생하여 가장 아름다운 소리를 내는 듯했다. 기타의 연주를 떠올릴 때면 짙은 골드 빛 구리, 브라운 컬러가 찾아온다. 혹시 이 노래를 들었던 계절 또는 나의 감정의 색깔을 예상해 볼 수 있겠는가. 아마도 또 다른 계절 또는 다른 상황이었다면 나의 플레이리스트는 또 달라져 있지 않았을까. 노래에 이어 나의 서평과 드라마 또는 영화리뷰를 살펴보면 색다른 시선을 만나

볼 수 있다. 색깔에 관심을 두기 시작하며 드라마 속 주인공들의 감정 변화에 따른 스타일과 옷 색깔 등을 챙겨 보기 시작했었다. 흔히 알고 있는 영화 라라랜드에서는 알록달록 다양한 색깔들 이야기로 리뷰를 담아냈던 영화로, 솔로일 때와 커플이 되었을 때 그리고 엔딩의 주인공 의상 컬러로 스토리도 만나 볼 수 있다. 오로지 나 하나의 꿈을 향해 달렸던 솔로의 원색적인 색감이었던 주인공은 사랑하는 이와 예쁜 커플이 되면서 부드러운 파스텔 계열의 옷으로 갈아입었다. 모든 감정이 뒤섞여있는 듯한 알 수 없는 결말을 담고 있는 마지막 장면에서는 오픈 결말을 암시하듯 블랙 드레스를 입고 있었다. 색다른 시선으로 영화 보기에는 〈스텐바이웬디〉 (Please Stand By, 2017) 와 〈조커〉(Joker, 2019), 〈라라랜드〉 (La La Land, 2016) 도 추천해본다.

이 순간 무엇을 해야 하지라는 생각도 무작정 멈추고 그냥 잠시 눈을 감았다가 다시 떠보면 어떨까. 그리고 주위를 둘러보자. 무슨 색깔이 나에게 찾아와있는가. 언제 어디서부터 정해진 것이 아니라 그저 자연스레 나에게 다가오는 편안한 일상으로 만나주면 좋겠다.

단, 조금은 색다른 시선으로 말이다. 어쩌면 우리는 익숙했을 뿐

이미 오래전부터, 지금 이 순간에도 색다른 시선으로 세상을 바라보고 있었는지도 모른다. 발라드에서 트로트로 바꾸는 순간 또 다른 세상이 펼쳐지듯 색다른 시선 하나로 같은 세상을 또 다르게 바라볼 수도 있다.

컬러테라피 만나보는 방법

『나를 만나는 색다른 방법이 있다』

지난해, 나는 한 대학교의 진로 교양과목 TA 조교 활동을 하며 60여 명의 대학생과 진로 상담을 진행한 적이 있다. 한 명당 주어진 시간은 30분. 이름, 나이, 학과 외 나는 그들에 대해 아는 것이 없었다. 낯선 이와의 첫 만남에서 자신에 관한 이야기를 꺼내고 더욱 깊은 고민을 나누기에는 턱없이 부족한 시간이었다. 그래서 난 꼭 색깔 도구를 챙겨 함께 자리했다. "이게 뭐예요? 예쁘다." 앞에 놓인 색깔들에 관심을 보이며 낯선 이와의 첫 인사를 좀 더 쉽게 나눌 수 있도록 해주었다. 그런데 그 이상의 효과를 톡톡히 본 경험이 이어졌다. 색깔은 멀게만 느껴졌던 우리에게 무지개다리가 되어주었고, 그 짧은 시간 안에 꽤 많은 이들이 눈물이라는 감정으로 속마음을 쏟아냈다. 그리고 이례적인 추가 상담 신청도 이어졌었다. 아마도 "너는 어때?"라는 자신에 대한 질문보다 "이건 어때?"라는 나와 관련 없는듯한 도구를 통해 이야기를 나누다 보니 좀 더 편히 함께할 수 있었던 것은 아

색깔 하나 바꿨을 뿐인데 모든 게 변했다

닐까. 매일 들고가는 색깔 도구는 달라지곤 했다. 컬러미러 바틀부터 매니큐어, 실타래, 예쁜 모양 색연필 등 색깔을 보고 고를 수 있는 것이라면 무엇이든 함께했다.

"나에게도 색깔이 있고, 지금도 충분히 나만의 빛을 내고 있다는 사실을 알고 있나요." 나에 대해 말하기 쉽지 않을 이들에게 이어서 나는 묻는다. " 빨주노초파남보, 눈앞에 놓인 이 색깔 중 어떤 색깔이 지금의 내 모습처럼 보이나요?" 나는 이로써 「지금, 나는 무슨 색깔일까.」라는 질문을 전했다. 사실 이조차 대답이 쉽지만은 않을 것이다. 다만, 이보다 더 어렵고 힘들었던 질문 한가지는 바로 자신의 상태 및 감정에 대한 물음이었다. "기분이 어때요?" 그나마 다양한 대답들이 들려왔던 아이들 대상 외 청소년부터 성인 대상 프로그램에선 단 세 가지의 대답으로 정리된다. [좋아요, 좀 그래요, 모르겠어요.] 그래서 나는 이렇게 질문을 바꿔 묻는다.
"앞에 알록달록 여덟 가지 색깔의 문 그림들이 보이시죠. 지금 이 순간 가장 먼저 열고 들어가 보고 싶은 문의 색깔 하나만 골라볼까요." 말로 설명할 수 없는 수많은 감정을 자칫 슬픔과 기쁨 등 불확실한 정의로 내리려 하기보다 그 감정을 만나는 과정을 좀 더 선물하고자 하는 것이라 할 수 있다. 어쩌면 우리에게 가장 익숙한 사지선다형으로 사계절 그림이 눈앞에 펼쳐졌다고 생각해보고 그중 하나를 골라볼까. 당장 감정을 뭐라 설명할 순 없지만 한 가지 색깔 정도는 골라볼 수 있지 않을까.

최근 가장 많이 활용되고 있는 색채 심리 분석법은 '하워드 선' 과 '도로시 선' 부부가 개발한 CRR(Color Reflection Reading) 로 만나 볼 수 있다. 여덟 가지의 색깔 중 세 가지를 골라 세 가지 색깔의 의미를 안내해준다. 첫 번째 고른 색깔은 개인의 성향에 대해 안내를 하고 두 번째 색깔은 현재의 상태 그리고 마지막 세 번째는 필요로 하는 것 즉, 미래를 안내하고 있다고 한다. 이 방 법은 누구나 손쉽게 검색으로도 찾아볼 수 있다.

한 가지의 색깔 및 기준들로 모든 것을 정의해 줄 수 없다지만, 분명 선호하는 색에 따른 보편적 성향 및 특성들을 알아볼 수 있 는 색채 심리를 통한 연구결과들이 나오고 있다. 이를 통해 신 체적, 감정적, 정서적 욕구 등 자신에 대해 이해를 하는 데 도움 을 주고 있단 사실도 만나 볼 수 있을 것이다. 이 연구 결과들이 바탕이 되어 나 역시 컬러인터랙터로 활동해 올 수 있었다. 빛을 사랑하고 색깔을 좋아하는 나에게는 더욱 매력적인 매개체임은 틀림없다. 무엇이 되었든 우리에겐 도움이 필요할 때가 찾아온다. 그럴 때면 언제 어디서든 가장 가까운 일상 속, 나의 선택에 따른 내가 보내는 나의 메시지를 알아차릴 방법이 있다면 한 번쯤 해볼 필요는 있지 않을까. 다만, 문제가 일어나고서야 해결해 보려 하기보다는 평소 자연스레 색깔을 활용하여 자신과 자주 만나는 시간을 가져보길 바란다.

꼭 함께 나누고 싶던 이야기

컬러인터랙터로 활동하며 이 이야기만큼은 꼭 담고 싶었다. 색깔은 남녀노소 누구나 흥미롭게 만나 볼 수 있는 활용 도구이다. 어디서부터 시작해야 할지 모를 나의 이야기, 내 심신을 투영시켜 나 자신이 보내는 메시지를 만나 볼 수 있으니, 알면 알수록 매력적인 매개체라는 사실은 만나 봤을 것이다. 그러나 주의할 점도 있음을 꼭 함께 안내하고 싶었다.

대학원에서 상담 심리 전공으로 여러 심리 관련 강의를 듣던 중,

직접 다양한 심리검사 도구를 경험해 볼 기회들이 생겼다. 사람의 심리란, 알면 알수록 흥미로웠고 꼭 전공이 아니더라도 상담 심리 공부는 누구나 함께 해봤으면 좋겠다 싶은 학문이기도 했다.

지금껏 나는 나의 색깔을 투명한 무지개 빛깔이라 말해왔다. 그런 나의 모습은 여러 심리검사에서도 만나 볼 수 있었다. 그 결과, 대부분 나는 무척 중립적이거나 오히려 영적이면서도 지극히 현실적인, 극과 극의 모습을 품고 있기도 하였다. 색깔로 이야기하자면 본능의 컬러라 할 수 있는 레드와 자유로운 영혼의 오렌지 빛깔도 강하다지만 사람과 환경, 주변의 영향력을 받는 그린과 슬픔마저 내게 주어진 책임인 양 살아가는 블루도 강하게 균형 잡고 있던 것이다. 분명 그때의 상태에 따른 결과였을 테지만, 여러 검사를 통해 확연히 하나로 안내되지 않는 검사 결과를 보며 나의 잘못은 아닐는지 의구심과 혼란스러움에 교수님께 상담을 요청한 적 있었다. 단, 앞서 말했듯 극복자가 아닌 생존자로 매 순간을 모든 것에 감사함으로 살아가고 있음을 말씀드렸다. 나의 이야기를 들으신 교수님께서는 이렇게 말씀해주셨다.

"결과에 따라 검사도 다시금 살펴볼 필요는 있겠지만, 분명한 건 그 어떤 심리검사 그리고 연구결과 역시 그 또한 누군가 사람이 만들었다는 사실도 기억해보면 좋겠습니다." 아무리 뛰어난 연구결과, 학자 이야기라 하더라도 각기 다른 사람들이 자신의 가치관, 자신의 이야기에 따라 세워진 가설과 그에 따른 결과들이기에 그것만을 가지고 확고한 나를 애써 흔들 필요는 없다는 안내를 해주셨던 것 같다.

가끔, 컬러테라피스트 자격증을 따고서 색깔 읽는 법을 잘 모르겠다고 찾아와주시는 분들이 있다. 이마저 얼마나 다행이고 감사한가. 모르겠다는 그 상태로 누군가의 위태로움을 더욱 흔드는 일은 없어야 할 테니 말이다. "빨간색을 골랐어요. 그러면 뭐라고 해줘야 하는 건가요?" 그걸 어찌 나에게 묻는가. 그 대답은 그 누구도 대신할 수 없다. 오직 그 색깔을 고른 이와 나눌 수 있는 이야기 아닐까.

고백하건대 나 역시 누군가 상담을 요청해 올 때면 무엇이라도 한 마디 더 전해주고자, 내가 반드시 도움되는 이가 되고자 하는 마음이 앞섰던 때가 있었다. 그때의 나는, 내가 아는 만큼 최선을 다해 읽어주고 그것들이 하나라도 맞아떨어지길 바랐던 순간도 있지 않았을까. 그러나 세상이 그러하듯 사람 그리고 색깔에도 변수가 참 많지 않던가. 나를 공부시키고 성장시킨 것은 책에 나온 색깔들보다 사람들과의 대화이자 상담을 통한 실질적 사례 연구였다. 사회적, 문화적, 나이 및 대상 외 아침저녁 시간대마저 나에게 영향을 주고 있지 않던가. 그러니 만약 전문가로 활동해가고자 한다면 끊임없는 배움과 노력으로 성장함은 당연하고, 그저 상대가 고른 색깔만으로 정답을 주려는 위험한 발상은 반드시 멈춰야 함을 함께 생각해봤으면 한다. 분명 색깔은 내가 놓치고 있는 부분에서도 질문을 통해 알아차리게 해주는 힘이 있다. 다만, 그 선택은 타인의 강요가 아닌 자신의 선택이어야 함을 한 번 더 이야기하고 싶었다. 자칫, 보편적으로 가지는 성격이나 심리적 특성을 나만의 특성으로 여기게 되는 심리적 경향을 뜻하는 바넘 효과(Barnum effect)를 경험할 수 있다. 이처럼 컬러 테라피에서도 색깔을 고르는 데 있어서 같은 색을 선호하는 사람들끼리는 어느 정도 공통의 특성을 보이는 것이 사실이다. 하지만 그 색을 선택하는 데 있어서 무엇보다 자신의 경험, 나이, 시대적, 환경적 영향도 있음을 기억하길 바란다. 누군가에 대해 메시지를 전하고 또 나누고자 할 때는 상대를 정해진 틀 안에서 끼워 맞춰 판단하려 하기보다는 나 자신을 만나러 가는 길, 진정 힘이 되는 동행자 또는 아름다운 풍경이 되어 줄 수 있길 바란다.

몸과 마음이 보내는 신호

『챙김에도 우선순위가 있다』

빨강 초록 신호등이 켜져 있다. 지금 이 순간 나의 신호등은 빨간색과 초록색, 둘 중 무엇이 깜빡이고 있는가. 우선, 가장 단순히 색깔이 가진 이야기로만 말해보자면 빨간불이 켜진 분들께는 몸이 보내는 신호를, 초록 불이 들어온 분들에게는 마음이 보내는 신호에 조금 더 먼저 살펴봐 주십사 부탁을 하곤 한다. 그러면서도 반드시 몸과 마음은 연결되어 있음을 강조하여 신신당부하고 있다. 이야기를 이어가기 전, 다시 한 번 물어본다. "고기와 채소 중에서 무엇을 먹어야 더 건강해진다고 할 수 있을까?" 당연히 둘 중 한 가지만 챙겨 먹기보다는 쌈 싸먹는 고기가 가장 좋지 않을까. 균형 잡기의 중요함을 먼저 말하고 싶었다.

몇 년 전, 〈황금빛 내 인생〉이라는 드라마에서 상상 암이라는 설정으로 논란이 된 적이 있었다. 39회 차 가족들은 담당 의사에게 아버지의 건강 상태에 관해 설명을 듣게 된다. 암 판정을 받고 시한부 삶을 사는 아버지의 병명은 사실 상상 암이었다. 자식들은 이해가 되지 않는 듯, 다시금 물었다. "죽고 싶어서 암을 만들어냈다는 말씀이신가요?" 분명 단지 상상에서만 찾아온 것이 아닌, 부정적인 생각과 걱정들로 인해 영양실조 등 건강 악화도 물론 있었을 것이다. 다만 그 무엇보다 심적 스트레스가 큰 영향을 주었을 것이라고 담당의는 답했다. 아버지가 죽지 않고 살 수 있음에 기뻐할 줄 알았건만 드라마 속 여주인공인 딸은 오열하고 있었다. 동생이 물었다. "아버지 암 아니라는데 왜 울어. 좋아서 울어?" 딸은 눈물 속 힘겹게 답했다. "알겠어서. 아버지가 왜 그랬는지 알겠어서. 마음이 너무 아파. 얼마나 고통스러우셨으면 암을 만들어내셨을까."

나 역시 불과 몇 년 전, 희귀성 난치질환인 루푸스 양성 소견을 받은 적이 있다. 몸살처럼 지친 몸을 이끌고 우연히 들린 한 응급실에서, 의사 선생님께서 피검사를 추가로 권유해주신 덕분에 빨리 알아차릴 수 있었다. 정확한 원인은 밝혀지지 않았으나 흔히 인체 외부로부터 신체를 지키는 면역계가 오히려 자신의 신체를 공격하는 현상을 특징으로 말하고 있다. 그 후 비타민D 결핍 진단으로 3개월에서 6개월 정도 한 번씩 비타민 주사를 맞고, 꾸준히 피검사를 받으며 상태를 지켜봐 와야 했다. 다행스럽게도 현재는 수치상으로 위험경계 선상을 넘어 정상으로 돌아와 누구나 그러하듯 2년의 한 번쯤 건강검진으로 챙겨갈 뿐이다. 그런 내가 상상 암으로 논란이 된 그 드라마를 보며 나도 '알 것 같아' 참 많이도 울었다. 나는 과연 그때 몸과 마음 중 누가 먼저 보내준 신호였을까. 사람마다 분명 다르겠지만 둘 중 무엇부터 챙겨줘야 할까.

"혹시 감기에 걸렸다 싶으면, 뭐부터 하시나요?" 같은 질문이지만 나이 및 대상에 따라 보통 나오는 대답이 다르기도 하다. 대부분 4~50대분들은 그냥 집에서 쉬거나 상비 되어있는 종합 감기약을 먹는다는 답변이 나왔다. 분명 약의 효능은 발휘될 것이다. 한숨 자고 일어나면 무엇 때문인지는 몰라도 한결 나아졌다 여겨질 터이고 회복도 할 수 있을 것이다. 그러나 그보다 정확한 진단에 의한 처방이 가장 빨리, 덜 고생할 수 있도록 도와주진 않을까. 코와 목감기에 걸린 아이와 병원에 찾아가 약 처방을 받으며 의사 선생님께 이런 설명을 들은 적이 있다. "콧물약과 목감기약을 처방해주긴 할 터이니 우선 목감기약을 주세요. 흐르는 콧물을 막으려 코약을 먼저 챙겨 먹었다간 오히려 부어있는 목을 건조하게 해 염증과 열을 더 유발할 수도 있어요. 콧물약은 목의 염증을 가라앉힌 후 그때도 콧물이 심하다 싶을 때 챙겨주셔도 좋습니다." 알맞는 처방이 필요한 이유가 여기에 있다. 당연히 빨간색(몸)과 초록색(마음), 심신 모두 챙겨야 한다지만 지금의 나는 무엇부터 먼저 챙겨줘야 할 것인지 살펴볼 필요가 있다. 가족을 따라 병원을 가야 하는 이와 친구를 따라 여행을 가는 것이 나은 이들은 따로 있지 않을까. 나 자신을 위해 내가 보내는 메시지에도 우선순위가 있다는 사실을 기억하길 바란다.

변화를 위한 색다른 행동

『변해야 변화를 맞이할 수 있다』

나를 만나온 시간 동안 상담센터는 물론 사이코드라마 또는 마음수련 등 어디든 어떻게든, 다양한 프로그램들에 참여하여 나도 변해보려 애써보았다. 사실 이 애씀부터가 나에게는 큰 변화였다. 용기를 내 직접 찾아간, 변화를 위한 변함을 선택했던 것이기 때문이다. 프로그램들은 시작에 앞서 항상 나에 대한 기록을 남겨보도록 했다. "내가 살아오며 가장 하기 힘들어했던 것은 무엇인가요?" 1박 2일 동안 최소한의 음식 섭취와 최대한 잠은 줄인 상태에서 나의 깊은 내면을 만나보도록 이끌었던 프로그램에서 받은 질문이었다. 당시 무척 어려웠던 순간으로 기억한다. '하기 힘들어 하는 것' 나에게는 오히려 무엇 하나 쉽고 편하게 해온 것이 없는 것만 같았기 때문이다. 고민 끝에 결국 나는 딱 한 글자를 적어냈다. 「욕」

솔직히 운전하다가 생각지 못한 순간, 나도 모르게 "아이 C 미쳤나 봐."라고 내뱉어 본 적은 있을 것이다. 어쩌면 그마저 옆자리에 누군가 함께할 때면 무의식조차 의식으로 이겨내기도 했던 것 같다. 그러고 보니 나에게 상처를 주었던 이들에게마저 괜찮으냐고 물었던 내가 아니던가. 아마도 내가 기억하는 한, 적어도 사람을 마주 보고 거친 욕을 던져본 적은 없었던 것 같다. 그냥 하지 않는 것이 아니라 입을 벌려 아무리 소리쳐봐도 내 안의 무언가 꽉 잡고 있는 듯 드러내지 못했다. 이것은 혼자 있을 때도 마찬가지였다. 〈응답하라 1988〉 제4화에서 경기에 지고 돌아와 감정을 꾹 참아내고 있는 최택 박보검에게 친구들은 오히려 속 시원한 욕을 던지며 웃음을 자아낸 순간이 기억난다. "이런 XX, X같네." 욕을 해 본 적 없는 이가 드디어 욕을 터뜨려내는 순간, 보고 있던 나의 속이 어찌나 시원했던지. 어쩌면 나는 또 한 번 이렇게나마 수많은 이들 앞에서 글을 빌려 욕을 대신해 보고 있는지도 모른다. 이 순간, 내 평생 살아오며 가장 하기 힘들어했던 것을 도전해보는 중이다.

거절에 대한 어려움

사실 내가 못하는 것 중 욕과 쌍벽을 이루는 또 한가지가 있다. 거절이라는 과정이다. "저, 단톡방에서 나오고 싶어요." 한때 너무 깊어진 스트레스에 한순간도 불편한 감정을 비워내지 못했던 때가 있었다. 그러던 어느 날, 걸어가던 길을 멈추고 눈에 보이는 아무 버스정류장 의자에 앉아 무작정 스승님께 전화를 걸었다. 그때의 나는, 우연히 합류하게 된 하나의 단톡방에서 너무나도 나오고 싶은 상황이었다. 누군가에게는 무척 쉬운 일이었을 수 있으나 적어도 나에게는 다시금 이명이 찾아올 것만 같은 무게감으로 찾아왔던 일이었다. 어쩌면 나를 가장 힘들게 한 것은 이러지도 저러지도 못하고 있는 나 자신을 발견한 순간이었는지도 모른다. 분명 스승님이 함께하던 단톡방도 아니었음에도 이렇게 단 한 사람에게라도 속마음을 털어놓고서야 드디어 나가기 버튼을 누를 수 있었다. 이후 그 대화창에서는 무슨 얘기가 오갔을는지 나는 모른다. 어쩌면 나라는 한 사람이 있었는지, 나갔는지 존재조차 모르는 이들도 있었을 것이다. 또 하나 흥미로운 사실 중 하나는 하지 못할 것만 같은 일을 드디어 행했음에도 불구하고 생각보다 그리 편하지만도 않더라는 점이었다. 그러나 분명 잘한 일이었다. 적어도 나는 내가 가장 하기 힘들어하는 거절을 해야 한다는 사실 앞에, 더는 서 있을 필요는 없으니 말이다. 그것만으로도 숨통이 트인 것만 같았다.

이러한 거절에 대한 어려움은 내 강의 진행에도 영향을 주었다. 흔히 프로그램 진행 시, 편리를 위해 단톡방을 만들어 공지 또는 정보를 공유하게 된다. 꼭 필요할 시에는 나 역시 오픈하게 되는데, 이럴 때면 반드시 앞서 안내를 드리곤 한다.
"이곳은 이번 프로그램 진행만을 위한 곳입니다. 이후 연락을 위해 필요하시다면 먼저 서로 친구추가 해주시고 프로그램을 마치는 순간 이 단톡방은 모두 함께 정리하도록 하겠습니다. 추후 공지나 정보는 개별 연락으로 드릴 예정이오니 걱정하지 마시고, 언제든 문의는 편히 해주셔도 좋습니다." 더불어 활동사진 및 후기 등에 대한 안내도 마찬가지다.
"혹시 강의장 사진이 찍히시더라도 여러분들의 얼굴 사진과 개인정보는 절대 담기지 않습니다. 이 시간은 제가 아닌 여러분들을 위한 시간입니다. 단 5분이라 할지라도 후기나 설문지는 따로 받지 않겠습니다. 다만, 휴인터랙트-컬러인터랙터를 검색하시면 제 블로그가 나온답니다. 기회가 되신다면 놀러 오셔서 궁금하신 점 또는 하고 싶은 메시지 등을 남겨주시면 감사하겠습니다." 간단해 보이는 이 작업이 얼마나 귀한 일임을 알고 있다. 일부러 시간을 내어 솔직한 후기와 응원의 메시지가 남겨질 때면 큰 감동과 보람을 넘어, 살아가는 희망이 되기도 한다. 사실 고백하건대 후기와 사진 등 나에게 큰 도움을 주는 소중한 자료이다. 다만, 앞서 말했듯 아무리 동의를 미리 구한다 해도 차마 거절하기 어렵거나 작은 불편함이라도 안고 가는 이들이 없길 바라는 마음이 좀 더 앞설 뿐이다. 그러니 여기서 한 가지 욕심을 내본다. 강의를 마치고 돌아가는 길, 사진 한 장, 쪽지 하나, 그저 말 한마디여도 좋다. 참고로 내가 아닌 또 다른 누군가의 만남에서도 나처럼 표현하지 못할 뿐, 누군가의 고맙다는 말 한마디, 환한 미소 하나 기다리고 있는지도 모른다. 분명한 건 그로 인해 받는 나로서는 전하는 이의 고마움보다 훨씬 더 큰 감사함으로 찾아온다는 사실은 확신한다. 지금 이 순간 혹시 눈치챘을까. 부탁하지 못하는 나, 또 하나의 '하기 힘들어하는 것'에 대한 행동을 하고 있었음을 말이다.

분명, 살아오며 내가 하기 가장 힘들어했던 것을 꼭 바꿔야 하거나 해내야만 하는 것이라 생각하는 것은 아니다. 다만, 하기 힘들어하는 것 중 시도조차 않으려 했던 것이 없는지 살펴보려 했을 뿐이다. 한 번쯤은 포기가 아닌 선택을 해봐도 좋지 않을까 생각해본다. 욕과 거절, 이로써 나에게 경험해본 일이 되었으니 이제는 남은 내 삶에서는 할 필요조차 없는 삶이길 욕심내본다. 변화하고자 한다면, 변해보는 것부터가 시작이지 않을까. 그러니 지금 이 순간, 나를 위한 색다른 행동 하나쯤 도전해 볼 수 있기를 응원해본다.

색다른 변화에 도전해보기

『이미 마법은 시작되었다』

「윙크」 두 글자에 나의 눈은 깜빡였는가. 「씰룩」 입꼬리, 눈썹 한 번 움직여보면 어떨까. 혹시 엉덩이춤 씰룩쌜룩, 더 신나는 행동 도 좋다. 하필 지금 이 순간 누군가 지나가던 길 나를 바라보았 다고 하더라도 걱정은 말기를, 그로 인해 나에게 큰 문제를 가 져다주진 않을 것이다. 그러나 나 자신에게만큼은 이 표정 하나 쯤이, 색다른 행동 하나가 앞으로 나에게 가져다줄 변화의 시작 은 되어 줄 순 있지 않을까. 색다름, 남다른 행동을 이미 해보기 시작했으니 말이다.

나는 가끔 마법을 부린다. 어쩌면 나도 모르는 사이 진짜 마법의 주문을 걸고 있는지도 모르겠다. 간단한 DIY 활동 중, 소원 팔찌 만들기 시간을 함께 해 볼 때가 있다. 하얀 원터치 팔찌 위에 자 신의 소원 한 가지를 원하는 색깔로 담거나 꾸며보는 활동이다. 처음에는 별 의미 없이 바라보던 이들도 나의 말 한마디면 어느 새 집중하는 모습을 보여주곤 했다. "제가, 여러분들이 당장 행동하실 수 있도록 주문 하나를 걸어 볼 거예요. 사실은요. 이게 바로 소원 팔찌랍니다. 에이~ 싫으시겠지만 진짜라니까요. 한 번 믿어보셔도 좋을 것 같습니다. 바라는 점이 있다면 꼭 담아주세요. 그 순간부터 분명 바람이 이뤄지기 시작할 테니까요." 내가 한 말이 거짓말이라고만 생각되는가. 좋고 나쁨을 떠나 그 일은 분명 일어날 것이다. 왜냐하면, 나 자신이 선택하고 집중하기 시작했기 때문이다. 그 바람을 이루기 위해 반드시 무언가 하나쯤 하게 될 테니 말이다.

릴레이 응원의 힘

가끔은, 진짜 신기한 일들이 일어나곤 한다. 몇 년 전, 나의 스승님이신 마스터님을 처음으로 뵙게 된 곳에서의 일이다. 마음 치유하는 모임을 참가했을 때였다. SNS 채널에서 시작된 모임은 2015년 당시에는 더더구나 쉽지 않았던 56만이라는 많은 구독자를 보유하고 있었고, 온라인 속에 숨어있던 이들을 직접 오프라인 공간에서 만나 서로를 위로하고 응원해줄 수 있는 공간과 시간을 마련했다. 나 역시 위로를 받았고 그 힘으로 나도 누군가에게 힘이 되어주고 싶은 마음에 봉사 스텝으로 함께 했다. 장소부터 음식 준비와 이름표까지 하나하나 마음을 모은 봉사자들이 직접 참여하여 만들어지는 시간이었다.

그러던 어느 날 우연히 이름표 준비를 맡게 되었다. 마치 나에게는 누군가를 도울 기회가 찾아온 듯했다. 그날 밤 나는 밤을 꼬박 새워가며 작업을 시작했다. 어떤 분들이 오실지는 모르겠으나, 신청자의 이름 하나하나를 바라보며 조금이나마 힘이 될 수 있길 바라는 마음을 담아 각기 다른 희망 문구를 담아보았다. 그런데 다음날, 대부분의 이름표는 모임이 끝나는 동시에 쓰레기통에서 버려진 모습으로 만나야 했다. 사실 현장에서 이름표 뒷면에 메시지가 담겨있다는 소개조차 하지 못했던 터라 어쩌면 이 사실조차 알지 못한 이들이 많았을 것이다. 순간 괜히 고생했나 싶기도 했다. 누가 시키지도 않은 짓을 해놓고서 괜스레 알아주지 않은 이들을 원망마저 할 뻔한 찰나, 조용히 한 친구가 다가와 나에게 인사를 건넸다. 고개를 숙이고 허리를 굽혀 최대한 정중한 인사를 말이다.

"고맙습니다. 글귀를 직접 넣어주셨다고요. 보는 순간 정말 깜짝 놀랐답니다. 진짜 지금 저에게 꼭 필요했던 말이었거든요." 그리고는 이어진 이야기에는 어떤 문구가 들어있는지보다 그 응원의 마음이 어떤 힘을 발휘했는지 만나 볼 수 있었다. "사실은요. 제가 너무 지쳐있어서 오늘 다른 분들의 이야기를 들어드릴 수나 있을까 싶었는데, 이 글을 보는 순간 싹 사라지더라고요. 그리고는 오히려 저 역시 누군가를 도와야겠다는 생각이 들었어요. 자리에 마침 정말 큰 위로가 필요하신 분이 계셨는데, 덕분에 저는 기꺼이 다가가 그분에게 제가 받은 이 응원의 힘까지 모두 담아 전해드릴 수 있었답니다." 나와 같은 마음이 애써 말하지 않아도 그대로 전해졌고 또 이어지고 있음을 만나던 그 순간, 그분의 이름표 뒤편 적혀있던 문구를 나는 아직도 기억한다. *'바람이 불지 않을 때 바람개비를 돌리는 방법은 앞으로 달려나가는 것이다.'* -데일 카네기 그저 나의 작은 바람이, 모든 이들에게 닿을 수 있는 강력한 바람은 아니었을지라도 잠시 누군가의 숨통은 틔워 줄 수 있는 솔바람은 될 수 있었던 것은 아닐까. 만약, 그저 응원하고 싶은 마음만 갖고 있을 뿐, 전하는 행동을 하지 않았다면 이 귀한 감동을 어찌 경험할 수 있었을까. 이럴 줄 알았으면 모든 분께 이름표 뒤편, 메시지가 담겨있음을 알려드릴 걸 싶었다.

바람은 불지 않고서는 결코 바람이라 할 수 없지 않을까. 사실 내겐 언제나 우선순위에서 밀려나는 평생의 숙제가 있다. 바로 다.이.어.트. 솔직해지자. 요즘 누가 빼는 방법을 몰라서 빼지 못했다고 말할 수 있을까. 이미 수많은 방법은 쏟아져 나왔고 실제 많은 이들이 긍정적인 결과도 몸소 보여주고 있지 않던가. 그런데도 여전히 다이어트에 스트레스를 받는 이유는 어쩌면, 오로지 빠졌으면 하는 바람 아닌 욕심만 앞선 것은 아닐까. 진정 일으켜 본 적 없는 바람은 아니었을는지, 다시 한 번 있는 힘껏 후 하고 불어봐야 하지 않을까. 사실 이것은 나의 반성문이다.

변화를 위한 색다른 도전

혹시 파란색에 담긴 이야기 중 '말하는 대로 이루어진다' 라는 메시지도 있단 사실을 들어 본 적이 있는가. 목차크라 컬러인 블루는 소통과 관련 있다고 앞서 소개한 바 있다. 영화 〈알라딘〉에서 소원을 들어주는 지니의 색깔을 떠올려보면 어떨까. 어쩌면 영화 〈증인〉의 여주인공 자폐 소녀 역시, 유독 골라 먹던 사탕의 색깔이 파란색이었던 것도 이런 이유에서였을까. 그렇다면 나도 파란색의 힘을 빌려, 지금 당장 변화를 위한 색다른 도전 한 가지를 외쳐보려 한다.

「잠깐만 캠페인 문구」

안녕하세요. <색깔 하나 바꿨을 뿐인데 모든 게 변했다> 작가 컬러인터랙터 이현영입니다. 혹시 나를 색깔로 표현해보신 적 있으신가요. 쉽게 떠오르지 않는다면, 파란 하늘 또는 붉은 노을, 푸른 산과 같은 이미지로 연상시켜 봐도 좋습니다. 애니메이션 인사이드 아웃에서 나오듯, 사실 우리 안에는 무지개 빛깔이 매 순간, 선택을 기다리고 있는지도 모릅니다. 똑같은 빨강이라 하더라도 버럭이로 드러낼지, 열정이로 나타날 것인지 또한 나의 몫이지 않을까요. 오늘 선택한 나의 색깔은 빨주노초파남보 어떤 모습으로 함께했나요. 내가 가장 좋아하는 색깔을 고르듯, 내 생각과 감정들 모두 나 자신만이 선택할 수 있습니다.

언젠가 라디오 방송 또는 그 어떤 방법으로든 나의 목소리로 소통할 날도 찾아오리라 감히 확언해본다. 또 한 가지, 지금 이 순간 책과 글을 통해 나와 마주하고 있는 이를 위해 전한다. "바라는 한 가지를 말해보세요. 명확하고 구체적으로 표현할수록 더 좋습니다. 그 순간부터 무조건 내 편 하나는 생겨났음을 기억해보세요. 이미 나를 위한 나 그리고 나의 응원은 시작되었을 테니까요. 간절한 만큼 찬찬히 바람을 말해보세요. 그 바람은 분명 나를 향해 불어올 거랍니다."

내 안의 어벤저스 찾기

『색깔을 알아야 새로운 힘도 만들 수 있다』

앞서 등장했던 애니메이션 인사이드 아웃을 본 적 있는가. 내 안에서 모든 색깔이 함께하고 있음을 무척 흥미롭게 담고 있다. 그렇기에 색깔을 고르듯 나의 감정도 나의 선택할 수 있다는 이야기를 나누곤 한다. 그렇다면, 내가 가진 것들로 원하는 색을 만들어 낼 수도 있지 않을까.

"엄마! 세상에서 가장 예쁜 '우리 엄마의 색' 만들어줄게."
처음, 물감을 사용하게 된 아이는 설렘과 더불어 비장함을 잔뜩 안고 자신 있게 큰소리를 쳤다. 이미 아이 눈앞에는 오색빛깔 찬란한 무지개가 만들어진 듯했고 반짝이는 눈동자로 집중하기 시작했다. "내가 좋아하는 핑크부터 뿌려놓고……. 엄마! 엄마는 무슨 색깔 좋아해?" "엄마는 지금은 빨간색." "알았어. 한번 섞어볼까?" 자신만의 마법주문을 외우듯 씩씩하게 빨간색 물감을 꾹 눌렀다. "내가 좋아하는 거랑 엄마가 좋아하는 색깔을 더

하면, 짜잔 우와 꽃이야. 그것 봐 내가 예뻐진다고 했지?” 언제
망설였느냐는 듯, 자신감 뿜뿜, 고개가 하늘을 찌른다. “아 맞다.
엄마는 커피를 좋아하지.” 꽃분홍색에 섞인 갈색은 조금 짙은
색을 만들어냈다. “음. 그냥 다 섞어주자. 엄마는 하늘이랑 바다,
나무랑 꽃도 모두 좋아하잖아.” 빨주노초파남보 분홍 24색 물감
이 아닌 것이 다행이었다.

어릴 적 물감이라는 새로운 신기한 도구를 처음 만났을 때, 경험
해 본 이들이라면 이미 아이가 만들어낸 ‘우리 엄마 색’을 알아
챘을 것이다. 상상하고 있는 바로 그 친근한 색깔이었다. 기대감
이 가득했던 아이의 표정은 점차 일그러지기 시작했다. 그래도
아이는 포기하지 않았고 더욱 큰 간절함으로 이어갔다. “우리에
겐 하얀색이 있잖아. 이렇게 하얀색을 섞으면…….”반전은 없었
다. 이미 뒤섞여진 색깔들은 각각의 고유한 아름다움은 사라졌
고 결국, 아이의 해맑던 표정에도 눈물 콧물이 뒤범벅되어있었
다. 아이는 이날, 물감에 대해 새로운 점을 알았고 나는 이 순간,
색다름에 대해서 또 한 번 배울 수 있었다.

우리는 처음 도전해보는 일에 설렘을 품는다. 도전과 실패가 반

복될수록 망설임이 커진다지만 그래도 해 낼 수 있으리라 희망과 용기를 내본다. 그 누구보다 최선을 다해 오색 빛 찬란한 미래를 꿈꾸며 열정을 더해간다. 그런데도 반복되는 실패가 이어질 때면 세상을 향해 원망하며 소리친다. 무엇이 부족했기에 왜 이런 결과를 주는 것이냐고 따져 물어보는 이들도 있다. 그런데 만약, 아름다운 색깔을 꿈꾸던 아이가 색깔 하나하나에 대해 조금 더 알고 있었더라면 결과는 어땠을까. 나의 부족함과 필요함, 색깔마다 비율을 조절할 수 있었더라면 달라질 수 있었을까. 과정 중에 원치 않는 방향으로 가고 있다는 것을 알아차렸을 때, 또다시 하얀색을 섞을 것이 아니라 조금 더 시간이 필요하겠지만 모든 색깔을 씻어내고 빈 팔레트 위, 새로이 시작했더라면 어땠을까. 아니면, 지금까지 만들어 둔 색깔을 뒤덮을 만한 색깔, 지금까지 해온 것을 뛰어넘는 많은 양의 노력, 하얀색을 더했더라면 또 다른 결과를 찾아왔을는지도 모른다. 이 역시 방법은 수없이 많고 각기 다르겠지만 말이다.

내가 그래 왔었나 보다. 분명 내가 좋아하는 색깔, 내가 마음을 준 사람들이었기에 무조건 다 같이하면 좋겠다 싶었다. 무엇이든 좋다고 하는 장점을 모두 더하면 당연히 좋은 결과만이 찾아올 것이라는 착각도 했다. 그러나 열심히 달리던 내가 멈춘 순간, 마주하고 있던 세상은 내 아이를 울게 했던 응가 색과 별다르지 않았다. 내 모든 것을 쏟아부었는데도 난 왜 원하는 결과를 마주하지 못했는지 억울함마저 찾아왔다. 이제야 깨달았다. '결국, 내가 내 안의 있는 색깔을 잘 몰랐었구나.' 하나하나 따로 보면 분명 귀한 재능이자 소중한 빛이었건만, 자칫 잘못 사용하면 어느 순간 내가 원치 않은 색깔의 내가 되어 있을 수도 있지 않을까. 우리가 열광했던 어벤저스 역시, 그들이 가진 색은 모두 달랐고 사람마다 가장 좋아하는 캐릭터들도 각기 달랐다. 그러나 우리들의 영웅이 될 수 있었던 것은 그러한 색다름이 어우러져 함께 빛났기 때문 아니었을까.

만약, 내 안에 모든 어벤저스가 존재한다고 생각해보자. 파워를 위한 괴력의 레드만 고집한다면, 아무리 초록색을 바른다 해도 나 자신조차 힘 조절하기 힘든 헐크가 될 수도 있다. 내 안의 어벤저스 중 가장 강력의 앞장세워 살아가고 싶은 힘은 어떤 색깔인가. 때에 따라 나를 고를 수 있다면 최고 아니겠는가. 많은 이들에게 무지개와 어벤저스가 오랫동안 사랑받는 이유가 바로 여기에 있지 않을까. 다양한 색깔을 굳이 하나를 만들어 내려 하기보다 각자의 다름을 인정하고 서로의 색깔을 존중하며 함께 걸어가고 있어서가 아닐까, 생각해본다.

나를 가장 빛나게 해주는 색깔

『무슨 색으로 살아가는 것이 가장 좋을까』

"안녕하세요. 저 죄송한데 치수 교환이 좀 가능할까요?" 아이 옷을 샀던 매장에 들렀다. 분명 나는 새로 옷을 사러 간 것이 아니라, 오히려 바쁜 상황에 귀찮은 업무를 전하게 되는 교환 건으로 찾아갔던 날이다. 그런데 그 순간, 판매자분께서는 나에게 생각지도 못한 말씀으로 인사를 전해주셨다. "말씀 참 예쁘게 하시네요. 그렇게 얘기해주시니 얼마나 좋아요. 고마워요." 말씀인즉슨, 사고 안 사고가 중요한 것이 아니라 사람들은 자신이 어떤 표정으로 무슨 말을 하고 있는지조차 모르는 듯, 상대에게 상처를 주는 경우들이 참 많은 것 같다고 말씀하셨다. 사실 나는 한동안 나의 조심스러운 말투나 배려하는 행동에 불편함을 느꼈던 적도 있었다. 똑같은 말과 행동을 하더라도 배려로 바라봐주는 이와 또 다르게 착한 척 하는 사람으로 보는 이들도 있었다. 이따금 하지 않은 행동마저 더해져 생각지도 못한 해석들로 나의 모습이 전해진 경우들도 만나 볼 수 있었다.

'그래, 배려란 누구에게나 할 순 있지만, 아무에게나 할 필요는 없는 것이구나.' 생각하게 된 기회가 되기도 했다. 어느 순간부터인가 남들을 돕거나 흔히 배려라고 하는 행동을 자제하려 오히려 애써본 적도 있다. 아무리 내가 갑작스레 색깔을 바꾼들 그 색으로 살아가는 것이 과연 나은 삶일까. 변하고자 마음먹는다고 쉽게 변하긴 하던가. 지금껏 변해보려 애써오면서도 결국 깨달았던 것은, 내가 어떻게 하느냐도 중요하지만 어떠한 상황 속, 그것을 어찌 바라봐 주느냐에 따라 참 크게 달라질 수 있음이었다.

나는 2015년 2월 패션디자인 학과를 졸업하는 동시에 2015년 3월, 유아교육학과에 재입학하는 길을 선택했었다. 분명 그사이 조기 취업으로 패션 디자이너라는 직업으로 멋진 명함 한 장 받아보기도 했으나, 짧게나마 직접 경험해보았기에 망설임 없이 새로운 길을 선택했을 수 있기도 하였다. 불과 한 달 사이, 나는 참 많이 달라져 있었다. 전공에 따라 함께하는 이들과 그에 따른 분위기, 색깔도 모두 다르지 않던가. 예를 들어 노는 것마저 상상 이상, 창의적이었던 보라색의 미대에서는 아무리 열정적인 빨간색이었다 하더라도 제대로 놀지 못하는 모범생으로 살아야 했다. 그와 똑같은 빨간색인 내가 순수함이 강한 노란색의 유아교육학과 학생이 되었더니 하루아침에 화끈하게 놀 줄 아는, 그 당시의 표현에 의하면 날라리 언니가 되어있었다. 분명 나라는 단 한 사람의 이야기 아니던가. 내가 원하든 원치 않든 나는 또 이렇게 각기 다른 나의 색깔들로 세상에 그려져서, 꽤 많은 시간이 흐른 지금도 여전히 동기들을 만날 때면 어떤 학과의 만남이냐에 따라 나의 색깔을 참 많이 다르다. 그러고 보면 결국 굳이 어떤 색으로 살아가는 것이 가장 좋을지 결정해 둘 필요는 없지 싶어지지 않는가. 다만, 적어도 내가 어떤 색으로 살아가는 것이 가장 즐겁고도 잘 살아갈 수 있는지 정도는 알아두면 좋지 않을까 싶을 뿐이다.

언젠가 아이와 부모, 청소년 등 대상에 따른 집필을 이어갈 생각이 있다지만 강점 색깔에 관한 이야기를 나누던 진로 강의 시간의 이야기 한 가지만 공유해본다. 성공이라는 단어를 붙일 수 있는 세 명의 유명인들에 대한 색깔 이야기를 나눠 볼 때가 있다. 리얼리티에 강한 빨간색의 강호동, 애드립이 강한 센스쟁이 주황색의 신동엽 그리고 신뢰감과 진행능력의 강자로 꼽히는 파란색의 유재석 모습을 통해 생각을 나눠본다.

"자, 이 세 사람은 모두 잘 알고 있죠? 딱 봐도 세 사람의 색깔은 참 달라 보이지 않나요. 그렇다면, 이들의 직업은 서로 다른가요?" 우선, 공통점을 살펴보자면 방송인이자, 연예인이고 프로그램을 진행하고 있다. 그러나 정작 각자 빛나고 있는 색깔은 너무나도 달랐다. 그런데도 이들은 모두 각각 최고라 인정받고 있다. 이를 통해 알 수 있는 점은 바로, 가장 빛나게 하는 성공의 색깔이 따로 있는 것이 아니라 자신의 강•약점을 잘 알고 이를 잘 활용할 줄 알아야 한다는 것 아닐까. 문득, 실제 이들 자신과 그의 가족들은 일상 속 그들의 색깔은 무슨 색이라 이야기해줄지 궁금해진다.

나의 색깔이 빛을 발휘하는 곳

나를 빛나게 해주는 색깔이 있다면, 나의 색을 더 빛나게 해주는 곳도 있지 않을까. 얼마 전 아이와 jtbc 〈뭉쳐야 산다〉라는 방송을 보다가 〈어쩌다 FC〉 축구팀 이야기를 나누게 되었다. "아저씨들 누구야. 왜 이리 운동을 못 해?" 아이는 해맑게 웃고 있었다. 바로 그 예능감을 펼치고 있는 이들은 다름 아닌 천하장

사와 금메달리스트 등 스포츠계의 전설들 아니었던가. 분명 자신의 분야에서는 최고라 불리던 이들이 모여 축구라는 색다른 종목에 도전해보았던 이들은, 지금껏 나를 빛내주고 있던 색깔들은 사라지고 예능의 전설이 되어 색다른 모습으로 함께하고 있었다.

[수영선수는 차가운 물 속에서 숨을 참아내야지만 이 세상 다시금 숨 쉬어 낼 수 있고, 복싱 선수는 온몸에 멍이 들고 정신을 잃는다 해도 일어나야지만 다시 인생을 살아갈 수 있다. 펜싱 선수는 수없이 찔리는 아픔을 이겨내야지만 세상을 향해 더 발걸음을 옮길 수 있고, 레슬링 선수는 수많은 이들 앞에 무릎을 꿇고 또 기어야지만 더욱더 당당히 일어날 수 있다. 요트선수는 바람이 불어와야지만 더 넓은 바다로 나아갈 수 있고, 양궁선수는 흔들리는 바람에도 한곳만을 바라봐야지만 더 멋진 세상을 바라볼 수 있다. 이렇듯 우리의 인생은 매일, 매 순간이 경기의 연속 아니던가. 세상이라는 경기장에 외로이 서 있노라면 축구 선수처럼 상대를 피해야 하기도 하지만, 유도선수처럼 상대를 넘어뜨려야 하기도 한다.]

-공감 따뜻한 동행 책, 나의 글 일부

운동선수들의 이야기에 문득, 나의 첫 번째 공저 도서였던 「공감, 따뜻한 동행」책에 담긴 글 하나가 떠올랐다. 이처럼 각기 다른 색깔을 펼쳐내고 있듯, 남들이 보기 좋은 색깔과 내가 좋아하는 색은 각자의 선택이기에 꼭 그 색깔 같아야지만 한다는 생각은 내려놓아도 되지 않을까. 더불어 내가 바라보는 시선도 남들과는 색다를 수 있음 또한 알고 있으면 좋겠다. 그렇다면 이제부터는 적어도 '무슨 색깔로 살아가는 것이 가장 좋을까.' 라는 고민에 마침표는 찍을 수 있지 않을까.

셀프 치유법 – 이미지 명상

셀프 치유 방법 중, [셀프 리터치 이미지 명상]에 대해 안내해 두려 한다.

편안한 자세로 잠시 두 눈을 감아보자. 눈을 감는다 해도, 수많은 이미지가 보일지도 모른다. 애써 비우고 또 피하려 하기보다 내가 떠올리는 장면 그대로 따라가 보기로 한다. '셀프 리터치 이미지 명상'이란, 말 그대로 나 자신을 만나서 위로 또는 응원으로 '나를 챙김' 해주는 것을 말한다. 연습이 되고 조금 익숙해지면 가고 싶은 곳, 보고 싶은 이를 초대해 볼 수도 있다. 나의 바람과 선택에 따라서 말이다. 하나의 예시 명상 문은 QR코드–영상으로 담아두었다. 그룹별 함께해봐도 좋고, 자신만의 명상 문을 직접 만들어봐도 좋겠다.

다섯.

색깔로 나눈 이야기

색깔로 나는 무엇이 달라졌는가

달라지고 싶습니다

『변화를 위해서는 제대로 변해야 한다』

"선생님, 달라지고 싶습니다."

변화를 꿈꾸는 이들이 찾아온다. 한 명 두 명, 이들을 만나고 또 만나 볼수록 더욱 궁금해졌다. 진정 바라는 것은 무엇일까. 한 번 더 질문해본다. 내가 바라는 것은 변하는 것인가 변화를 꿈꾸는 것인가. 그로 인해 나는 컬러인터랙터 과정마저 수정하였다. 처음 진행하기 시작했던 컬러인터랙터의 과정은 'M K A C' 의 단계로 안내하였다. Meet 만나보다 → Know 인지하다 → Act 행동하다 → Change 변하다 그리고 transform 변화하다 를 5단계로 더하여 마침내 변화를 맞이할 수 있도록 함께하고 있다.

'변하다' 와 '변화하다' 의 차이점은 무엇으로 바라볼 수 있을까. 내가 찾아본 결과로는 두 단어 모두 같은 의미 하나로 사용해도 된다고 안내되어 있었다. 그와 또 다른 나와 같은 생각의 의견도 만나 볼 수 있었다. 여기서 내가 말하는 '변하다' 는 당장 행할 수 있는 결과적인 변함으로 'Change'라 하고, 과정에 더 중점을 두고 바라본 변형을 'Transform 변화하다'로 안내하고 있다. 예를 들어 다이어트를 하기 위해 당장 오늘부터 평소 하지 않던 운동을 하고 물을 챙겨 마시기 시작했다면 이것은 'Change 변하다'로 보았고, 이러한 변하는 과정을 통해 외적 모습만이 아닌 본질의 변화, 더욱 건강해지고 그로 인한 삶의 질이 높아진 것 나를 비로소 'Transform 변화하다'라고 이야기하고자 한 것이다. 흔히들 아프지 않고 건강한 삶을 살고 싶다고 말하면서도 술·담배, 야식 등 변한 것 하나 없이 꿈꾸기만 한다면, 원하는 변화를 맞이하기는커녕 오히려 더 좋지 않은 나의 모습으로 변할 수도 있지 않을까.

그런데 여기서 또 한 가지 차이점을 발견할 수 있었다. 바로 주체에 대한 부분이었다. 어느 날, 오전 오후 각각 다른 사람들 두 건의 약속이 있던 날이었다. 이른 아침, 오랜만에 만난 이들은 나를 보며 왜 그리 살이 많이 쪘느냐며 변한 모습에 걱정했다. '역시, 살을 빼야겠구나!' 반성하며 오후 미팅을 간 자리에서 들은 첫인사는 이러했다. "어머, 살 좀 빠진 것 같다. 무슨 일이라도 있었던 거야?" 설마, 아침의 붓기 차이라고 하기엔 분명 나는 다를 바 없는 똑같은 한 사람이었건만, 그렇다면 결국 내가 달라지긴 했다는 것일까. 남색 바탕의 파랑 점과 노랑 바탕색의 파란색은 변해버린 듯 보이지만, 분명 같은 파란색일 수도 있지 않은가. 이렇듯 'Change 변하다'는 언제든 상대 및 환경에 따라 달라질 수도 있겠구나 싶었다. 더불어 아무리 애써 변화했다 하더라도 남들이 알아봐 주지 않는다면 한순간에 물거품이 되어버리는 기분도 느낄 수 있음을 알 수 있었다. 나는 분명 냉정하고 차가운 파랑에서, 시원하고 쿨한 파란색으로 변화했음에도 불구하고 남들은 나에게 변함없이 여전해 보인다고 말하기도 하지 않던가. 그렇다면 우리는 어차피 나의 바람과 무관하게 매 순간 변하는 나일 수도 있는 것을, 달라진 것 하나 없이 보이는 변화를 꼭 하고자 해야 할까.

어쩌면 나는 지금껏 남들 보기에 예쁘게, 착하게, 잘 살아가고자 변하려고만 하다 보니 진정 변화는 맞이할 수 없었던 것은 아닐까 싶은 생각이 들었다.

어느 날, 유치원을 다녀온 아이가 말했다. "엄마 나 아직도 울보야?" 일곱 살 가을학기, 실습 나온 선생님이 새로 오셨던 때였다. 아마도 그날, 눈물짓던 아이에게 선생님께선 진정시키고자 말씀하셨나 보다. "씩씩한 아이는 말이야, 이렇게 울보여서는 안 되는 거야." 이 한 마디가 아이에겐 생각보다 훨씬 더 큰 혼란을 주었던 모양이다. 이유인즉슨, 나름 초등학교 입학을 앞두고, 자기 스스로는 여섯 살 때보다 훨씬 더 늠름해졌고 나름 눈물도 잘 참아왔다고 생각했던 터였기 때문이었다. 아이는 분명, 열심히 노력하였고 자신에게 큰 변화가 있다고 생각했으나 그 순간 마치 지금껏 해온 노력이 의미 없어지는 것 같은 실망감을 느꼈었는지도 모르겠다. 그러고 보니 나도 여전히 걱정 어린 챙김을 받곤 한다. 지금껏 살아오며 한때는 완벽주의자 또는 독하다는 소리를 들어 볼 만큼 나름으로 열심히는 살아왔다고 자부했었다. 상담공부를 하고 싶어진 순간, 용기를 내어 아이 입학을 앞두고 내가 먼저 대학원을 진학하기도 하였고, 그저 아이를 키우던 엄마를 세상에 알리기 위해 1일 1 포스팅의 약속은 5년간 이어지고 있다. 부족하면 배웠고 배운 것은 실행을 통해 변함을 변화로 만들어내기까지 밤낮으로 애쓰지 않은 순간이 없었다. 그런데도 여전히 많은 이들은 나에게 변해야 한다고 요청해온다.

알고 보면, 나도 꽤 괜찮은 나

"이제는 딱 걷기만 시작하면 되겠다." 걷는 활동을 통해 새로운 삶의 변화를 맞이했다는 분께서 나의 건강을 걱정하시며 해준 말씀이었다. 한때 나 역시 그림을 그렸었던지라 그림을 통해 치유를 받으신 분들은 다시금 그림을 그려보자면 취미를 가져보길 바라셨다. 왜 그분들의 마음과 챙김 들의 의미를 모르겠느냐마는, 각기 다른 일상을 살아가는 이들을 만나고 또 만날 때마다 결국 나는 여전히 부족한 사람이 되어있는 것만 같을 때도 있더라. '뭘 더 어떻게…….' 분명, 좋다는 것을 알면서도 할 수 없는 현실을 마주할 때도 있지 않겠는가. 그럴 때면 그저 모든 것이 자책으로 찾아와 결국 포기라는 단어 앞에 서 있기도 하였다. 그러나 이제는 그들의 시선은 나의 몫이 아님을 깨닫는다. 그로 인해 알 수 있는 또 한가지는 'Change 변하다' 는 누군가의 도움을 받을 수도 있겠더라는 점이었다.

색깔 역시 'Change 변한다' 를 돕는 역할을 할 수도 있고, 나 역시 이러한 기회를 나눌 수도 있지 않을까 싶었다. 그렇게 나는 변한 나를 제대로 만나보도록 해주고 싶었다. 그 순간의 경험을 통해 진정 스스로 변화해가기를 원했던 간절한 바람이었다.

강의를 마칠 때면 '나에게 쓰는 편지' 시간을 자주 제공하는 편이다. 최대 가능한 한 달 후쯤 다시금 나의 손으로 도착할 수 있도록 직접 발송해드리곤 한다. 주최 측에서 지원해주는 때도 있으나 지금껏 대부분 40명 이하의 소그룹 강의 시 350원의 행복이라 이름을 붙여 개인적으로 직접 우표를 붙여 발송해드리려 애써왔다. 사실, 가끔은 강의료조차 모르고 일정만 맞으면 최대한 어디든 많은 분을 만날 수 있다면 달려가는 나에게, 요즘은 한 통에 400원, 한 달에 많으면 200여 통 되는 편지들을 발송하는 일은 가볍지만은 않은 일이기도 했다. 더욱이 우편번호란이 비어있을 때면, 하나하나 찾아내고 나의 주소와 우표를 붙여 발송하는 일도 꽤 많은 정성과 시간을 요구했다. 그런데도 고집해왔던 이유는 무엇이었을까.

어쩌면, 누군가의 변화를 위해 유일하게 내가 해줄 수 있는 일인 것 같았다. 한 달 후의 내가 어떻게 변해있는지 만나는 그 순간이, 현장에서 내가 전하는 메시지보다 훨씬 더 중요한 과정이라 생각했기 때문이다. 사실 내가 필요하다 느꼈던 점이었기에 모르는 척할 수 없었나 보다. 좋은 강의, 힐링 프로그램을 무척도 많이 참여했다. 함께하고 있는 동안의 그 시간, 그 자리에서는 마치 내가 변화한 듯 희망이 보인다. 분명 마음도 한결 편해졌고 무언가 새로운 시작도 할 수 있을 것만 같은 나를 발견한다. 그러나 그 순간을 알 리 없는 주변의 이들과 변함없는 현실은 아무리 변해도 나는 변화를 맞이할 수 없구나! 절망이 찾아오기도 했다. 단 한 사람, 누군가라도 긍정의 메시지가 필요했다. 잘지내고 있느냐고. 앞으로 이렇게 변해보자고 다짐하고 또 약속하지 않았느냐고. 할 수 있다고, 챙김과 물음이 간절했다. 그 마음 가장 잘 챙겨 줄 수 있는 이는 나 자신이라 생각하였기에 나에게 쓰는 편지를 준비하였고, 혹여나 잊혀갈 때쯤 다시금 나를 챙겨 볼 수 있도록 전달하는 것만은 내가 할 수 있는 일이라 생각했다. 더불어 그저 변화를 기다릴 것이 아니라 변하기부터 시작하길 바라는 마음이었다. 적어도 편지가 도착할 때까지의 한 달은 나름, 내가 꿈꾸던 변화를 위해서 Act를 통해 Change를 선택하고 있을 수도 있지 않을까 하고 바라본다.

이따금 예전에 올렸던 사진과 글들이 SNS를 통해 다시금 찾아오는 경우가 있긴 하지만, 오랜만에 나의 손글씨로 내 이름 한 번 불러주면 어떨까. "한 달 후 적어도 찌지 않고 1kg 빠진 나를 위해 하루에 200mL조차 마시지 않았던 물을 최소 500mL 마시기로 해보자." 긍정적인 변화를 위해 진정 필요한 변함을 하나쯤 작성해봐도 좋겠다.

"실컷 한 번 울어는 본 거지? 기분은 어땠어? 앞으로도 힘들 땐 울어도 괜찮아. 그래야 더 웃음도 채워질 수 있을 테니까 말이야. 수고했어, 오늘도. 알지? 나도 꽤 괜찮은 사람이란 거." 나도 응원해본다. 이 작은 변함이 모여 언젠가 분명, 커다란 변화를 맞이하게 될 것이다.

주변에서 제가 자꾸 포기하는 거래요

『포기도 선택할 수 있다』

"저는 분명 최선이었어요. 그런데 자꾸 남들은 저에게 너무 쉽게 포기한대요."

어디선가 들어본 듯, 익숙한 이야기이다. 그러고 보니 내가 듣던 말 아니었던가. 나에게도 참 많은 변화가 있었다. 미대 패션디자인 학과 그리고 인문대 유아교육학과 참 다른 색깔의 두 학과를 졸업과 동시에 입학했던 나였다. 앞서 말했듯 나의 대학 생활 4년은 희로애락 모든 삶이 다 담겨있던 극도의 열정 시기였다. 사실 부모님께는 안 비밀이지만, 캠퍼스 커플은 물론 OT와 MT 그리고 축제 참여는 무려 6년간 개근, 학생회 활동을 하고도 지금은 상상할 수조차 없는 5일 밤을 꼬박 새우며 장학금은 놓치지 않았다. 그러한 노력은 조기 취업의 기회를 만나게도 해주었고 덕분에 동기들보다 빠르게 패션디자이너라는 멋진 명함도 생겼다. 그리고 나니 누군가 내 이름 앞에 '성공'이라는 두 글자를 붙

색깔 하나 바꿨을 뿐인데 모든 게 변했다

여주기도 했다. 그러나 성공이 실패로 바뀌어 불리는데 그리 오래 걸리지 않았다. 2월 졸업과 동시에 다음 달인 3월, 유아교육학과 신입생이 된 나는 누군가에게는 실패자가 되어있었다. 힘들게 간 길을 너무 쉽게 포기한 것 아니냐며 어리석다는 걱정도 들어야 했다. 그 후 나는 지금까지도 변하고 있고 여전히 변화하는 중이다. 앞서 말하지 않았던가. 덕분에 나는 디자이너로 시작하여 선생님, 이사님, 에디터님, 작가님, 블로거님, 상담사님, 멘토님, 컬러테라피스트님, 색깔선생님, 대표님, 강사님 그리 컬러인터랙터 등 끊임없는 이름들로 불리며 여전히 내 안의 나를 만나 성장해가고 있다. 이 안에서 그럼 나는 얼마나 포기를 해왔다는 것인가. 이제는 당당히 말하고 있다. 그것이 '포기'라 불리는 것이라면 그마저 나는 언제나 나의 선택이었다고 말이다.

포기도 선택할 줄 아는 삶

진로 강의 시, 네 컷 뽀로로 장면으로 마무리 메시지를 나눌 때가 있다. 시즌 1 제7화 〈하늘을 날고 싶어요〉 편의 내용은 이러했다. 어느 날 뽀로로가 크롱과 함께 새에 관한 책을 읽고 있었다. 책을 통해 새는 날개가 있고 날 수 있다는 것을 알게 되었다. 펭

귄은 새였고 뽀로로에게도 날개, 양팔이 있지 않던가. 책을 보던 뽀로로는 하늘을 날고 싶었다. 만약, "나 날 수 있대요. 한 번 날 아볼까요?" 묻는다면 뭐라고 대답해 줄 것인가. 이어진 장면에 서는 현명한 친구 포비가 뽀로로를 데리고 높은 절벽 위로 올라 간다. 그리고는 말한다. "여기라면 뽀로로가 날 수 있을 거야. 힘 껏 뛰어 날아보렴." 다음 장면은 어떻게 되었을까. 뽀로로는 훨 훨 날갯짓을 펼쳐 보였다. 대신, 하늘이 아닌 바닷속에서 말이다. 뽀로로는 포비 덕분에 고민만 하던 것을 직접 도전해봄으로써 큰 사실을 깨달을 수 있었다. 첫 번째, 하늘을 날지 못한다는 것. 자신의 날개 형태로는 다른 새와 같은 방법으로 하늘을 날 수 없 다는 사실을 알게 되었다. 두 번째, 날지 못하는 대신 나는 수영 을 잘한다는 새로운 사실을 깨닫게 되었다.

포비는 과연 뽀로로를 위험하게 만들었던 것일까? 오히려 뽀 로로는 덕분에 앞으로 갑작스레 날아야 하는 상황이 온다고 하 더라도 확신 없는 희망만을 품고 오히려 더 자신을 위험한 상황 으로 데려다 놓을 수도 있지 않았을까. 인어공주는 왕자를 위해 자신의 목소리를 잃었고 결국 물거품이 되어 사라졌다. 만약, 이

때 인어공주가 자신의 목소리가 아닌 왕자를 포기했다면 어땠을까. 나도 가끔은 나의 선택이 포기보다 진정 나은 것이었는지 모르겠다 싶을 때도 있다.

나는 컬러테라피스트가 되면서 함박웃음 표정을 잃어버렸다. 아이들을 만나던 시절, 당연히 미소가 지어졌고 오히려 힘든 날조차 환하게 웃어야만 했던 날도 있었다. 그러나 상담을 진행하고부터 환하게 웃어서도 그렇다고 울어서도 안 되는 내가 되어야 하지 않았던가. 상담사의 눈물과 웃음은 내담자에게 또 다른 변수를 가져다줄 수 있기에 최대한 편안하고 담담한 표정으로 함께하려 노력해왔다. 테라피를 진행하던 초창기 가장 힘들었던 점 중 하나가 바로 표정 관리와 감정회복이었다. 상담을 마치고 돌아오는 차 안에 내담자 앞에서 꾹꾹 참아내던 눈물을 펑펑 쏟아내야 했던 시기도 있었다. 시간이 지나 어느 순간 눈물을 참아낼 수 있게 되었고, 누군가를 웃을 수 있게 하려고 함박웃음을 버려야 했다.

그러나 이제는 알고 있다. 포기는 나의 선택이었음을 말이다. 참고로 지금의 나는 컬러인터랙터와 엄마인 나, 이현영의 나로 각각의 색깔을 나누고 그에 따른 변함도 편안해졌으니 나의 미소는 걱정하진 않기를 바란다. 그래서일까. 나는 가끔 다른 강사님들이 진행하시는 강연장 또는 공연 등에서 최선을 다해 호응해드리곤 한다. 그분들의 진심 어린 노력에 보답해드릴 수 있는 일이라 생각했기 때문이었다.

아이와 방학일정으로 보게 된 '옹알스' 공연에서 웃음과 더불어 코끝 찡해진 이유도 여기에 있지 않을까. "재밌으셨나요? 행복하셨나요?" 눈물과도 닮아있는 땀에 흠뻑 젖은 모습으로 공연 후기를 물어봐 주시는 옹알스 팀원분들에게 마음으로 되물었다. "나는 행복했나요." 누군가를 웃게 하려고 자신의 멋진 외모도 오히려 우스꽝스러워짐을 기꺼이 선택하는 이들의 모습에, 무언가 하나쯤 포기를 할 수 있는 선택이 무엇보다 더 멋질 수 있음을 배운 순간이었다. 그러니 나 역시 아이들을 만나 한없이 함박웃음 짓던 표정을 상담사의 삶에서는 포기했다고 하더라도 괜찮다. 나의 함박웃음을 나눠 더 많은 이들이 함께 웃을 수 있다면 꽤 멋진 포기라 할 수 있지 않을까. 포기가 실패는 아닐 터이니, 앞으로도 포기마저 내가 직접 선택해 갈 수 있는 삶이길 바라본다.

제가 왜 이 자리에 있는지 알 것 같아요

『나도 세상을 바꾸고 있었다』

"우린 살아가면서 끝없이 상호작용을 한다. 우연이든 고의든 그걸 막을 방법은 없다."

영화 〈벤자민 버튼의 시간은 거꾸로 간다〉의 브래드 피트 나레이션을 들어 본 적 있는가.

그리고 이어진 장면은 결코 쉽게 잊을 수 없었다. 약 3분간 담긴 장면들에서는 여자주인공 데이지가 교통사고가 나기 전까지 어떤 상황이 있었는지를 이야기해주고 있다. 빠져들 것만 같은 브래드 피트의 목소리로 들으면 더 좋겠지만, 글로라도 이 장면만큼은 함께 나누고 싶었기에 대사 일부를 담아본다.

[데이지는 공연 리허설 중일 때, 한 여자가 택시를 타려고 밖으로 나왔다. 택시 기사는 커피를 사려고 잠시, 카페에 들렀다. 커피를 산 택시기사는 택시를 기다리던 여자를 태웠다. 출발하려던 택시 앞에 갑자기, 한 남자가 달려들어 사고가 날 뻔했다. 길

색깔로 나눔 이야기 : 색깔로 나는 무엇이 달라졌는가

을 건너던 남자는 평소보다 5분 늦게 출근하는 길이었다. 알람 맞추는 것을 깜빡했다. 회사에 늦은 남자가 길을 건널 때 데이지 는 연습을 끝내고 샤워 중이었다. 택시를 탔던 여자는 잠시 택 시를 세워, 선물가게에 들렀다. 그런데 미리 주문했던 물건이 포 장되어 있지 않아 기다려야 했다. 전날 애인과 헤어진 점원이 포 장을 깜박했던 것이었다. 선물을 챙긴 여자는 다시 택시를 탔다. 그런데 이번에는 배달트럭이 길을 막았다. 그때 데이지는 옷을 입고 있었고 택시는 트럭이 비켜줘서 다시 움직이기 시작했다. 옷을 다 갈아입은 데이지는 문을 열고 나오려다 마침, 신발 끈 이 끊어진 친구를 기다려주게 되었다. 달려오던 택시가 신호에 걸려 서 있는 동안 데이지와 친구는 극장 뒷문으로 나오는 중이 었다. 택시 기사는 순간적으로 한눈을 팔았고 결국 데이지를 치 고 말았다. 그렇게 발레리나였던 데이지의 다리는 으스러졌다.

단 한 가지만 달랐더라면…. 신발 끈이 안 끊어졌거나 트럭이 길 을 막지 않았거나, 선물가게 점원이 실연을 당하지 않고 물건을 미리 포장해놨거나, 길을 막아섰던 남자가 알람을 맞췄었거나, 택시 기사가 커피를 안 샀거나, 쇼핑객이 코트를 안 잃고 앞의 택 시를 탔다면, 데이지와 친구는 길을 건너고 택시는 그냥 지나갈

수 있었지 않을까. 하지만 삶은 누구도 통제하지 못하는 무수히
많은 상호작용의 연속이다.]

– 영화 '벤자민 버튼의 시간은 거꾸로 간다.' 중 나레이션 일부

한번쯤, 나의 작은 행동이 얼마나 큰 영향력을 끼칠 수 있는지에
대해 생각해보면 좋겠다.

선한 영향력의 경험

컬러는 분명, 모든 이들의 시선을 끌게 하고 흥미를 더해주는 큰
역할을 해주었을 만했으나, 그렇다고 모든 순간이 쉽고 재밌었
던 것은 아니었다. 어쩌면 힘들었던 만큼 더 오랫동안 가슴 깊이
남게 되는 시간도 있기 마련이다. 앞서 소개했던 위기청소년이
라 불렸던 아이들과의 만남이 그러했다. 분명히 이 아이들의 이
름 옆에는 나이와 더불어 비행내용이 붙어있는, 소위 나쁜 행동
을 한 아이들이었다. 그러나 적어도 나와 함께 할 때만큼은 나
쁜 아이들이기보다 아픈 아이들로 마주했다. 이 아이들과 나에
게 주어진 시간은 3시간, 학교도 가기 힘들었던 아이들이 이 자

리는 그 얼마나 오기 싫을까. 그만큼 그저 시간만 흘려보내는 시간은 아니길 간절한 바람으로, 더 많은 고민과 노력을 더 했던 시간이었다.

180분이란 짧은 시간 안에 이 아이들의 마음을 180도 바꿔놓는 일은 절대로 쉽지만은 않은 일이었다. 모자를 푹 눌러쓰고 이어폰을 낀 채 눈 맞춤조차 하기 힘든 아이들도 많았다. 진행하는 동안 내내 대답은 한결같았다. "너의 색깔은 무슨 색이라고 생각하니?" "모르겠어요." "어떤 색깔이 되고 싶니?" "잘 모르겠어요." 그러나 분명 보고 있었고 듣고 있었으며 느끼고 있었나 보다. 10,800초가 지난 뒤 드디어 아이는 스스로 입을 열었다. "사실은…. 내가 왜 이 자리에 와야 하지 싶었는데, 이제는 제가 왜 이 자리에 있는지 알 것 같아요." 그 어떤 후기보다 강렬했고 의미 깊었다. 다른 대상 프로그램과 다를 바 없이 자신을 만나는 시간을 가지며 반성과 후회 그리고 새로운 다짐 등 다름을 인정하는 경험도 가져보도록 하였다. 더불어 어떻게서든 꼭 한 번쯤 경험하게 하고 싶었던 것은 바로 '선한 영향력'이었다. 다음이 아닌 당장, 지금 이 순간 기회를 선물하고 싶었다. 너희도 좋은 일이라는 것, 누군가를 웃게 할 수 있다는 것, 나의 작은 행동이 얼마나 커다란 영향력을 발휘하는지 반성과 동시에 긍정의 변화를 경험해 볼 필요도 있다고 생각되었기 때문이었다.

"어떤 이유로 만나게 되었건 나와 함께한 시간만큼은 최선을 다 해주었다는 거 알아. 그래서 내가 꼭 선물 하나씩 주고 싶었어." 드디어 내게 뻗어준 아이들 손에 건넨 것은 바로 100원짜리 동 전 하나였다. 그리고 물었다. "100원으로 세상을 바꾸는 방법 에는 뭐가 있을까?" 조금은 어이없는 듯 웃음 지었지만, 대답 을 이어가 주었다. "마술을 보여주면 사람들이 웃지 않을까요." "100원 주식투자 할게요." 이들의 장난기 가득한 대답을 잠시나 마 멈추게 해줄 수 있는 시간이 찾아왔다. 나는 작은 저금통 하 나를 꺼내고 예쁜 아이들 모습이 담긴 사진 한 장을 소개한 순간 이었다. 바로 100원의 기적을 이어가고 있는 코인 트리라는 단 체의 활동 모습이었다. 사실 나도 실제, 코인트리(CoinTree) 한 영준 대표를 만나본 적은 없다. 한꽃거지(백 만원)님을 검색해 보니 여러 태그로 소개되어 있었다. *#한영준 #희망 꽃 학교설 립자 #잘생긴 자 #100원을 모아 병원을 짓는 자 #전 세계의 기 아를 없앨 자.*
생각해보면 나의 첫 기부 활동은 내 인생의 첫 아르바이트비를 받기 시작했을 때부터였던 것 같다. 한 단체의 소액후원 한지도 벌써 20년이 되어가나 보다. 이러한 나눔의 기쁨을 알기에, 내 아이의 첫 번째 생일부터 아이의 이름으로 할 수 있는 후원을 찾아본 적이 있다. 그렇게 시작한 후원이 바로 100원 후원이었다. 그래서 우연히 검색했던 것이 바로 '100원의 기적'이었고, 덕분에 꿈이 아닌 현실로 만들어가는 이도 있다는 사실을 발견 할 수 있던 것이다.

사실, 아이들 손에 놓아주었던 100원들 중 사실 돌려받지 못한 400원이 있기는 하다. "앗싸~진짜 100원 주시는 거죠. 뭐 사 먹어야지." 하지만 오히려 자신의 지갑을 열어 10배의 후원을 한 아이들도 있었다. 그렇게 현장에서 자신의 손으로 직접 누군가를 위하고 또 나누는 경험을 해 볼 수 있었다. 그로 인해, 나도 세상을 밝힐 수 있는 사람임을 느낄 수 있도록 해주고 싶었다. 한 아이는 묘한 기분이 든다는 표현을 해주기도 했다. 그것이 새로운 시작이 되어, 세상을 향해 나쁜 영향력이 아닌 선한 영향력을 이어가길 간절히 희망해보았다.

"우리 한 번 상상해볼까. 너희가 돌아가는 길에 이 100원짜리 하나를 땅에 흘렸어. 어쩌면 그 동전 하나가 누군가의 삶을 바꾸는 순간이 되기도 하지 않을까. 그 찰나의 순간도 세상을 바꾼다는데 너희와 함께한 180분, 10,800초만큼은 적어도 앞으로 살아갈 너희 세상에 선한 영향력을 전하는 힘이 되었길 진심으로 바라본다."

매일 검은색만 고집했던 나라면 오늘 하루쯤 조금 밝은 색을 입어보면 어떨까. 조금 낯설지만 새로운 색깔의 커튼으로 바꿔보면 어떨까. "안녕하세요." 오늘도 아이의 밝고 씩씩한 인사는 굳어있던 엘리베이터 안, 많은 이들의 마음과 표정까지 녹여내기 충분했다. '나 하나쯤' '나 하나로 인해' 몇 글자 차이나 보이지 않지만, 나의 삶과 세상마저 변화시킬 수 있는 만큼 힘을 지닌 나 자신이란 점도 기억해보길 바란다.

저는 딱한 사람입니다

『나는 딱 한 사람 입니다』

"혹시 나는 딱한 사람입니까. 딱 한 사람입니까."
나를 찾아오는 이들 대부분 자신을 불쌍한 사람이라 딱히 여겼
다. 그러나 나를 만나고 딱 한 사람임을 알게 되었다고 말할 때,
그보다 뿌듯할 때가 없었던 것 같다.

무더웠던 한여름, 진행되었던 어느 한 '특수아 부모교육 프로그
램' 이 나에게는 오랫동안 기억에 남았다. 날씨만큼이나 가슴 뜨
거워지는 시간을 보냈었기에 귀한 만남으로 특별히 간직되어 있
나 보다. 만남에 앞서 조심스레 누군가 말씀하셨다. "아마, 그분
들 마음 열기 쉽지 않으실 거예요. 어쩌면 냉정하실 수도 있습니
다." 누누이 말하지만 내가 겪었다고 하여 누구에게나 똑같은 경
험과 느낌을 받을 것이란 보장은 그 어디에도 없지 않은가. 혹여
나 많은 이들에게 비슷한 모습을 보인다면 그 또한 분명 이유가
있을 것이니, 앞서 걱정할 것이 아니라 직접 만나 나눠보면 될 일

이었다. 어느새 6주는 빠르게 지나가고 그 후로도 이따금 안부를
물어봐 주시는 분들도 계실 만큼 귀한 시간으로 함께했었다. 우
리는 모두 색다르고 특별하다는 것을 다시 한 번 기억해보며, 특
별했기에 더욱 빛났던 이때의 만남을 떠올려본다.

"제 소원은, 내 아이에게 딱 한 번이라도 '엄마'라는 말을 들어
보는 것입니다." 이 이야기를 들은 다른 아이의 어머님께서 나
대신 말씀을 이어주셨다. "저는 제 아이에게 엄마라는 이름은 들
을 수 있습니다. 그런 저의 소원은 제 아이와 딱 한 번만이라도
손잡고 함께 걸어보는 것입니다." 우리의 시선은 서로에게 향해
있었고 부러움으로 다가와 나를 딱하게 여기고 있었다. 이 세상
이리 바라보니 부족하지 않은 이가 없었고, 안쓰럽지 않은 이가
없지 싶었다. 그런데 그래도 결국 나 자신이 가장 아프다 한다.
당연한 일 아니겠는가. 아픔의 크기를 비교할 순 없다지만, 느껴
보지 못한 아픔이 지금 이 순간에도 나를 아프게 하는 딱함을 이
길 순 없었다. 솔직한 나의 시선, 나의 감정과 상태를 알아차리
고 나에게 시선을 돌렸다. 나의 딱함이 어쩌면 내가 가진 소중한
것들마저 가리고 있던 것은 아닐까. 그저 하나만 바꿨을 뿐인데
함께했던 우리는 6주 후, 자신의 특별함을 귀하게 여기고 챙겨

줄 수 있게 되었다. '왜 나만'이 아니라 '우리 모두' 였구나 알아차렸을 뿐이었다. 우리 모두 색다르고 남다른 딱 한 사람임을 알아차리게 된 것이다.

누군가는 나를 응원해주고 있다

요즘 '딱하다'라는 이야기를 나누다 보면, SNS에 관한 이야기를 꺼내지 않을 수 없는 것 같다. 어디선가 그랬다. 대부분 사람은 억만장자가 사는 집을 보며 부러워하기보다 오히려 나와 가까운 친구가 50만 원짜리 풀 빌라에서 즐기고 있는 한 장의 사진을 보며 더욱 배 아파한다고 말이다. 어느 날 나는 이렇게 말한 적이 있다. "부러운데 부럽지는 않아." 혹시 이 기분을 이해하려나. 이제는 모두 이미 SNS의 겉과 속, 보이는 것과 보이지 않는 것이 어쩌면 다를 수 있음을 알고 있지 않은가. 때로는 한 장의 사진을 담기 위해 그동안 얼마나 애써 왔어야 했는지 느껴보았기에 그저 부러울 뿐, 내 것은 아니구나 하고 체념하게 되는 것일 수도 있다. 그러니 보이는 것이 다가 아님을 기억해보면 조금 덜 나를 힘들게 하려나. 언젠가, 바쁜 일상을 살아가느라 정신없다며 오랜만에 연락 온 이의 안부 인사는 이러했다. "요즘 좀 안 바쁜가 봐. 조용하더라. 좋겠다." 사실 원래 SNS를 좋아하는 내가 아니었다. 그저 나와 대화를 나누는 시간이랄까. 나를 알아차리는 순간이자 많은 이들에게 한꺼번에 나의 안부를 나눌 때 그리고 때로는 소식을 공유할 때가 있다. 그러나 한동안 외부 강연보다 공유할 일 없는 개인 상담을 한창 이어오던 때였건만, 그것이 다라고 믿는 이들도 여전히 있었다. 그렇게 내가 직접 SNS의 안팎으로 모두 살아보고 나니, 부러울 것도 피할 것도 없었다. 어쩌면 그저 나와 다른 일상을, 색다르게 각자의 삶을 열심히 살아가고 있는 이들의 모습을, 있는 그대로 바라봐 줄 여유도 생긴 덕분인 것 같기도 하다.

나의 SNS 활동 이야기에 떠오른 또 하나의 딱 한 사람이 있다. 누구나 알 법한 유명 강사님의 강연장을 다녀온 날이었다. 당연히 그날의 포스팅은 이 시간에 대한 소식이었다. 그러나 그날 나에게 찾아온 딱 한 사람은 바로 강사님이 아닌, 강연에 앞서 재미와 선물을 전해주시며 분위기를 한껏 띄워주셨던 이름 모를 개그맨이었다. 우연히 찍힌 사진 한 장 속, 화려한 조명 아래 환호만큼 크게 찍힌 강사님의 뒤편으로, 어두운 무대 뒤, 들어가고 있는 진행자분 모습이 작게 찍혀 있었다. 그날 나는 강연 후기가 아닌 그분을 응원하는 마음의 글을 담았다. 그런데 다음날, 댓글 하나를 마주하고는 깜짝 놀랐다. "좋은 글 감사합니다. 개그맨 OOO." 생각해보니 그날은 모두 그랬나 보다. 아무도 모를 것으로 생각했던 그 순간, 누군가는 나를 응원해주고 있었다. 나에게도 이러한 댓글은 힘이 되는 순간이었다. 한 장면, 하나의 세상 속 함께 담겨있다고 하여 같은 삶이라 할 수 없으니, 나의 시선이 향하는 그곳, 나의 삶이 있고, 삶 속의 주인공은 나 자신, 딱 한 사람뿐임을 잊지 않으려 한다.

모두 다 때가 있가 있습니다

『나의 때를 알아차릴 수 있다』

강의를 진행할 때면, 재미를 위해 몇 가지 선물들을 준비하곤 한다. "말하지 않아도 알아요. 그저 바라보면." 노래를 부르며 초콜릿 맛 파이를 전해드리기도 하고, 초록 20억 유산균 한 봉을 전해드리며 우스갯소리를 할 때도 있다. "20억을 드리고 싶었으나 가져오기 너무 무거워서 이렇게 전해드리는 점 양해 부탁합니다." 나의 소소한 이벤트 선물 중, 가장 핫했던 잇템은 바로 때수건이다. 한 배달업체의 홍보광고에서 아이디어를 얻어 퀴즈를 맞히거나 질문에 답을 해주시는 분들께 때수건 선물을 전해드리곤 했다. "모두 다 때가 있다."

심신에 쌓인 때를 시원하게 씻어내길 바라는 마음과 더불어 시기의 때, 누구에게나 기회가 있다는 의미를 함께 나누기도 한다. 모두, 때는 있다. 알록달록 색깔마다, 사람마다 힘과 속도가 다를 뿐 분명 때는 찾아온다. 그렇다면 지금 나는 어떤 때일까.

출간을 앞두고 문득, 웃을 수도 울 수도 없는 생각 하나가 떠올랐다. 지금껏 내가 밥을 사줬던 이들에게 한 끼씩만 얻어먹을 수 있다면 남은 내 평생, 적어도 일주일에 한 번쯤은 누군가 차려준 음식을 먹으며 살아갈 수 있진 않을까 싶었다. 만약, 밥 대신 나의 책을 한 권씩 안고 가준다면 나는 베스트셀러도 금방이지 싶기도 하다. 앞서 말했듯, 나눔의 기쁨을 감사히 즐기는 지금과 달리, 예전의 나는 착해서가 아니라 거절을 하지 못해서 "내가 사줄게"가 입에 붙어있었다. 그러한 경험들이 있지 않던가. '지금껏 내가 밥을 샀으니 다음에는 이 사람이 한 번쯤은 사겠지.' '여태껏 항상 내가 고민을 들어 줘왔으니 이번에는 내 이야기도 좀 들어주겠지.' 하지만 안타깝게도 내가 살아온 세상에서는 꼭 그렇지만은 않더라. 밥을 얻어먹는 친구는 언제나 변함없이 나의 오지랖을 기쁘게 즐겨주었고, 나에게 고민을 털어놓던 친구는 여전히 자신의 이야기를 털어놓느라 바빴다. 어쩌면 지금껏 깨닫지 못했다면 사람과 세상을 얼마나 더 원망하며 살았을는지 모르겠다. 배려와 나눔, 전하는 모든 것에서 나는 '주는 것' 까지, 딱 거기까지임을 말이다.

사실 생각해보면 내가 해온 일은 언제나 그랬다. 청소년들과 만

나는 진로의 시간, 유치원 교사 직접을 소개하며 이따금 물어보
는 질문이 있다. "혹시 유치원 선생님 성함 생각나는 사람?" 유
명인들도 대부분 은사님을 찾아갈 때면 중고등학교, 그나마 어
릴 적 기억을 해낸다 해도 초등학교 담임선생님까지는 떠올리곤
하지 않던가. 먹고 자고 싸고, 처음을 가르치며 모든 것을 보살피
고 교육해주셨던 어린 시절의 선생님들은 그저 스쳐 갔을 뿐, 거
의 기억에 남겨두지 않는 존재였다. 상담사의 역할에서도 그랬
다. 언제나 들어 줄 준비가 되어 있고, 그들의 웃는 그 날까지 눈
물은 물론, 슬픔과 분노마저 함께 마주해주지 않던가. 고맙게도
미소를 다시 찾게 될 때면 그보다 보람되고 감사한 순간이 없다
지만, 앞으로의 그가 보여줄 미소는 내가 마주할 몫이 아니지 않
던가. 그러나 언제나 마음을 다해 간절히 바라본다. 눈물이어도
괜찮다. 누군가의 도움이 필요할 때면 언제든 열려있고 스스로
자신을 챙겨 줄 수 있을 때까지 언제든 분명 함께 마주해줄 이가
있음을 기억해주길 바란다.

되돌아갈 수 있다면

앞서 컬러테라피를 경험해보며 내가 고른 세 가지 색깔 중 가장

먼저 만나 보고 싶은 색깔, 시기가 언제였다고 대답했었는가. 과거 현재 그리고 미래. 여기서 첫 번째 색깔은 본연의 색깔, 나의 과거라고 안내했었다. 그렇다면 만약, 나에게 과거로 돌아갈 기회가 생겼다면 다시 돌아가고 싶은 순간이 언제일까.

가끔 '그때 내가 왜 그랬었지.' 아무리 생각해봐도 이해되지 않는 일들이 있다. 그럴 때면 대부분 두 가지 경우를 선택한다. '그럴 수밖에 없었어.' 지난 일로 그냥 지나 보내는 이들과 '그때로 돌아갈 수만 있다면' 후회라는 이름을 붙이는 이들이 있다. 나에게 되돌아가고 싶은 과거들을 떠올리다 보니 나에게 상처 따위는 처음부터 없는 삶으로 되돌아가도록 할 수도 있지 않을까 싶었다. 어쩌면 한 사람을 살릴 수도 있고 사라지게 할 수도 있더라. "엄마, 진짜 엄마는 착하게 살았나 봐. 나 같은 아들을 만났으니 말이야." 아무리 아팠던 과거를 지나왔다 하더라도 이리 감사한 현재, 나의 아이와 함께하는 이 순간을 어찌 부정할 수 있으랴. 몇 년 전, 고백 부부라는 드라마가 떠올랐다. 가장 현실적인 부부의 모습으로 살아가고 있던 현재의 손호준, 장나라가 과거로 돌아간 스토리를 담고 있었다. 우연히 과거로 돌아가게 된 장나라는 그토록 보고 싶어 했던 돌아가신 엄마를 다시금 만날 수 있었다. 그런데 친정엄마는 어느샌가 장나라의 상황을 예측하게 되고 딸에게 담담히 그리고 따뜻이 말씀해주시는 장면이 있다. "네 아이에게로 돌아가⋯⋯. 뭐가 뭔지 잘 모르겠어. 이게 무슨 일인가 싶고. 그런데 그건 알아. 부모 없이는 살아져도 자식 없이는 못 살아. 울 거 없어. 어떤 슬픔도 무뎌져. 단단해져. 그렇게 돼 있어." 결국, 장나라는 그리웠던 엄마와의 따뜻한 이별을 선택하고 고단한 삶이란 것을 알면서도 현재 내 아이가 있는 세상으로 돌아와 다시금 예측하기 어려운 낯선 미래를 만들어간다.

만약, 과거로 돌아가 미래를 다시금 선택할 수 있게 된다면 나는 어떤 선택을 하게 될까. 이미 알고 있는 아픔이라 하더라도 나는 기꺼이 똑같은 길을 걷겠노라 선택했을 것이다. 내 아이를 만나러 오는 길이라 한다면 말이다. 어쩌면 기억하지 못할 뿐, 과거를 한 번쯤 다시 다녀왔던 것은 아닐까. 아무리 힘들지라도 내 편 하나쯤은 있을 수 있도록, 나에게 항상 큰 깨달음과 성장을 안겨주는 이 아이를 선물해두고 왔던 것은 아닐까. 이 순간 역시 내가 선택한 것은 아니었을까.

나의 과거와 현재로 만들어진 미래

어느 날, 아이가 학교를 다녀와 나에게 물었다. "있잖아. 엄마. 엄마가 적어도 세 번은 참고 세 번은 양보해주라고 해서 나 진짜 참고 참아 봤거든. 그런데 아무리 배려를 해줘도 그 친구는 나한테 단 한 번도 양보를 안 해줘. 고맙다고 말하지도 않던걸." 내가 이번에 양보하면 다음에는 이 친구가 양보해 줄 것이라 기대했을 테고 기다렸을 터인데 얼마나 속상했을까. 어릴 적부터 엄마께서 말씀하셨다. 착하게 살면 반드시 너에게 좋은 일이 찾아올 거라고. 그런데 사실 보상보다 실망이 찾아올 때가 훨씬 많았다. 어른이 될수록 착하게 산다는 것이 오히려 나를 아프게 하는 이유가 되기도 하였다. 하지만 나의 아이를 만나고서야 인정할 수 있었다. 때를 알 수는 없으나 분명 나의 과거와 현재의 선택이 나의 미래를 만들어낸다는 것을 말이다.

이 책에서도 마찬가지다. 이미지 명상을 통해 과거의 나를 만나고 보고 싶은 이들에게 전하고 싶은 메시지들을 나눠보라 말하지만, 결코 과거의 그 순간으로 되돌아가 미래인 현재를 바꿔 줄 수는 없다. 그러나 과거와 현재 그리고 미래마저 바라볼 나의 시선이 달라질 수 있다면, 전보다 한결 편안함으로 만나 볼 수는 있지 않을까. 여기서 나는 욕심 내본다. 이 책을 읽기 전 보다는 읽고 난 후의 찾아올 장래만큼은 조금 더 밝아졌길 희망한다. 아주 작은 영향력이라 할지라도 선한 영향력으로 함께했길 기대해본다. 그리고 지금 이 순간, 당신에게 선물 하나쯤 전하고 싶어졌다. '어디서부터 시작해야 하지, 누구를 믿고 의지하지, 내 편이 어디 있지.' 내가 그토록 고민해왔던 질문 중 하나의 답은 내가 해 줄 수 있다고 한다면, 혹시 믿고 따라 해보겠는가.

지금 당장 거울 하나를 준비해보자. 어떤 거울이든 좋다. 거울을 바라보고 물어봐 주길 부탁한다. "거울아, 거울아, 이 세상에서 누가 제일 예쁘니?" 거울은 분명 당신에게 답을 줄 것이다. 나 스스로 거부하지 않는 이상. 이미 나의 시작을 알린 셈이다. 고민 말고 답해주자. 나의 환한 미소로 말이다.

사람과 색깔은 참 닮았네요

『다시 물어보자. 지금 나는 무슨 색깔인가』

설마, 이 책을 읽고 나면 나의 색깔 한 가지를 딱 정할 수 있을 거라 생각했던 건 아니길 바란다. 만약, 그 기대에 실망을 안겼다면 진심 어린 사과를 남긴다. 다만 정말 나와 함께 자신과의 대화가 이뤄진 분들이라면 오히려 망설임 없이 대답할 수도 있지 않을까. 이미 정해진 답이 없는 물음이었음을, 나의 선택에 따라 색깔은 달라질 수 있음을 알았을 테니 말이다. 그러고 나면 오히려 처음의 질문으로 다시금 돌아가 있을지도 모른다. "지금 이 순간, 이 책이 당신에게 찾아온 이유는 무엇일까?" 이제는 대답할 수 있게 되었는가. 이를 위해 또다시 지금의 나부터 챙겨봐야 할 것이다. 다만, 앞으로 찾아올 질문들은 똑같은 문장의 질문이라 할지라도, 나 자신이 스스로 주는 질문으로 달라져 있길 바라본다.

「색깔 하나 바꿨을 뿐인데, 모든 게 변했다.」

지금의 내 세상에는 매일 무지개가 뜬다. 울고 싶은 날에도 빛으로 찾아와 나를 웃게 하고 마는 무지개 같은 녀석이 함께하기 때문이다. 각기 다른 길을 걸어야 한다지만 언제나 같이 걷게 되는 엄마와 아이. 나를 유일하게 '엄마'라 불러주는 한 사람, 아이가 전해준 메시지로 나는 마지막 질문을 대신 하려 한다.

"엄마! 이거 갖고 놀아도 돼요?" "그럼 당연하지. 모두 꺼내서 봐봐." 강의를 차로 다니다 보니 언제나 내 차 안에는 이런저런 색깔 도구들이 있다. 그중 아이가 꺼낸 도구는 바로 색깔 배합에 대해 알아볼 때 활용하는 컬러아크릴판 과학교구였다. "엄마! 하늘이 초록빛 바다 같아." "그래? 온통 세상이 초록색으로 보이는구나?" 백미러로 본 아이가 가진 컬러아크릴판을 보고 순간 물음표가 생겼다. '어라. 난 당연히 초록색 아크릴판으로 보고 있을 것으로 생각했는데….' 그때, 아이는 노란색 아크릴판을 들고 있었다. 분명, 색안경을 끼고 보면 그 색안경 색으로 보인다고들 하지 않았던가. 그 순간, 또다시 새로운 세상을 바라볼 수 있게 해준 큰 깨달음이 찾아왔다. '보는 것이 다가 아닐 수 있겠구나.' 노란색으로 바라본 세상은, 파란색에는 초록빛으로 빨간색에는 주황빛으로 보일 수도 있다는 사실을 만나는 순간이었

다. 결국, 서로 영향을 주고받을 수밖에 없는 것이 바로 색깔이
자 사람이구나 싶었다.

생각해보니, 사람과 색깔은 참 많이 닮은 것 같다.
따뜻한 빨강, 어두운 빨강, 사랑스러운 빨강 등 다양한 빛으로
색깔이 보이는 것 처럼 사람 역시, 따뜻한 사람, 재밌는 사람, 사
랑스러운 사람 등 닮은 듯 하면서도 서로 색다른 매력을 지니고
있다. 좋은 사람이란, 결국 내가 좋아하는 사람이라고 하지 않던
가. 그러니 부탁하건대, 필자에게 먼저 '나의 색깔' 또는 '나에
게 가장 좋은 색깔'을 묻기 전에 꼭 한 번쯤은 나 자신에게 먼저
물어봐 주길 바란다.
그보다 명답은 없을 테니 말이다.

하나, 지름길이 필요하거나 나라는 팔레트 안에 색깔을 새로이
채우고 또 만들어 가길 원한다면 나를 찾아가는 낯선 길, 언제든
동행해 줄 수 있는 이도 있음을 기억해 주길 바란다.

'지금 이 순간, 나는 무슨 색깔일까.'

그 누구에게나 처음은 낯설 듯, 나 역시 그랬다.

지금도 나는 여전히 묻는다. 다만 색다른 나를 마주하고 알아차려 주기 연습을 꾸준히 이어온 나에겐 마치 숨쉬기와도 같다. 애써 한 가지 답을 찾아내야 하는 질문이라기보다는 그저 자연스레 들이마시고 내뱉어지는 숨처럼 '순간의 나를 알아차림 : 나를 챙김'이 되었다. 그 순간들이 익숙해지고 이 익숙함이 편안함으로 찾아오자 예전의 한숨이 큰 숨이 되는 순간도 마주할 수 있었다.

한 가지, 나를 챙김을 이어가길 바라는 것이 오로지 나 하나만을 챙기며 홀로 살아가자는 소리는 결코 아니다. 저 멀리 떠 있는 별 하나가 아무리 작게 보인다 할지라도 우리에겐 꽤 큰 영향력을 주기도 하듯이, 서로 모르는 사이일지라도 생각보다 훨씬 더 큰 영향력을 행사하고 있는지 모른다. 그러니 나 너 우리, 모두가 함께 살아가기 위해 나 자신만큼은 스스로 선택 할 수 있길 바란다. 나의 에세이가 자기계발서로 찾아가길 바라는 마음으로 써왔다지만 이 또한 뭐가 중요하랴. 내가 나눌 수 있는 모든 것 담은 이것이 나의 최선이었고, 나에게는 또 한 번의 나를 만나는 여행기와도 같았다. 내가 바라봐 온 색깔들이 비치는 그대로의 빛 그 자체였음을 다시 한 번 확인하는 기회가 되었다.

왜 나는 지금껏 무지개가 일곱 가지 색깔이라고만 생각했을까.
어쩌면 '무지개' 그 자체가 하나의 색깔이었을 수도 있지 않을
까.
눈물과 웃음이 함께 만들어낸 찬란한 무지갯빛, 내가 그 자체였
음을 기억하길 바란다.

색다른 물음표 남다른 느낌표

"선생님 이야기가 궁금합니다. 나를 만나는 시간을 지나, 이제는 정말 행복하신지요."

행복하냐는 질문에 예전의 나는 망설임 없이 "네."라고 답해드렸고 그래야만 한다고 생각했다. 그래야지만 누구나 행복해질 수 있다고, 희망을 드리는 사람이 되는 자격이 주어지는 것만 같았다. 만약, 그때의 생각처럼 성공한 이야기란 아무리 힘들어도 웃을 줄 알고 이겨내는 사람이라 생각했다면, 내 평생 책을 쓰고자 할 용기조차 내지 못하지 않았을까 싶다.

책을 쓰는 동안에도 흔들리는 순간의 나를 만난 적도 있다. 자기계발서 베스트셀러라 불리는 책을 보면 멈칫하기도 했다. '이것이 정답이다' 라고 말할 걸, 차라리 나도 '8주 완성 이렇게만 하면 된다.' 라고 답을 걸 그랬나 싶은 생각마저 들었다. 그러면 적어도 책을 읽는 동안, 최소한 따라 해 본 8주 동안만이라도 나아졌다 말해주는 이가 있지 않을까 싶은 순간도 있었다. 그러나 나도 아직 찍지 않은 마침표인 것을 어찌 그리 말하겠는가. 내가 나에게 묻고 또 물었던 질문의 답은 마침표가 아닌 물음표와 느낌표의 나눔이 아니었던가 싶었다.

혹시 집사부 일체 일체라는 프로그램 본 적이 있는가. 매회 다른 사부님이 등장하며 다양한 깨달음 전하고 나에게는 더 많은 것을 생각할 기회를 제공해준 프로그램이었다. 애청자로 함께하며 어느 순간 느낌표보다 물음표가 커지는 것만 같은 순간, 마치 나의 마음을 읽어낸 듯 찾아온 이야기가 있었다. 그러던 중, 전유성 사부 편에서 출연자들의 대화를 통해 '이거였구나.' 싶었다.

이승기 : 솔직히 매번 사부님들이 너무 다른 철학을 가지고 계시니까……. (혼란스러워)

지난번, 박진영 사부님 편에서는 프로루틴러로 5주 동안 (모든 것은 습관) 정확한 루트 내에서 살아보고 있었거든. 그런데 여기 와서(이번 주 전유성 사부님께서는 프로 불만으로 습관&관습 타파) 모든 것을 깨부수고 불만을 가지라고 하시니까. 정신적으로 충격이 오는데?!

양세형 : 나는 집사부하다가 어느 정도가 되었을 때 이런 생각이 들었어. 이것도 저것도 다 맞는 거 같은 거야.

이승기 : 그니까 내 생각에는 말이야.

결국, 이 프로그램의 끝은 '나는 누구인가'인 것 같아.

육성재 : 저는 그래서 나한테 딱 맞는 사부님이 계실까 라는 생
　　　　각을 했는데⋯⋯. 전 미래의 저 자신이 제일 좋은 사부
　　　　가 아닐까 하는 생각이 들었어요. 그리고 처음에는 물
　　　　음표를 갖고 떠난 여행인데 사부님들을 만나서 느낌표
　　　　로 변하는게 아니라 물음표 옆에 느낌표가 붙는 그 느
　　　　낌이에요.

이상윤 : 물음표 옆에 느낌표가 그저 한주 추가되어가는 기분.

양세형 : 이 물음표 본질 자체에 대한 궁금증이 생겨.

<SBS 집사부일체 '전유성편' 출연진의 대화 일부>

이 책을 쓰고 또 담는 동안 나 역시 참 많이 달라졌다. 몇 년 전,
책을 쓰고자 하기 시작했을 때에는 색깔을 통해 새로운 삶을 살
게 되었다고 생각한 나였기에 [이렇게 해 봐. 그럼 모두 다 할 수
있다.]라는 내용으로 시작했었다. 그런데 나 자신이 주는 힘이
가장 큰 효력이 있음을 알게 된 지금은 결과가 아닌 그저 과정을
함께 나누고 싶었나 보다. 그래서 이제야 나는 "행복하신가요?"
라는 질문에 당당히 답을 택했다.

"그럴 리가요. 저도 언제나 행복하지만은 않습니다. 다만, 이제
는 내가 행복한지 슬픈지를 알 수 있고, 그런 저 자신을 챙겨 줄

수 있게 되었습니다. 그래서 저는 모든 순간순간이 너무나도 소중하고 감사하답니다."

흔들리는 물결, 불안해 보인다. 그러나 그 누군가에겐 최선을 다해 잔잔하게, 가장 평화로운 순간 일 수도 있지 않을까.

마치 나는 호수의 흔들리는 물과도 닮았다는 생각을 해봤던 것 같다. 어쩌면 그런 나는 오늘도 내 세상에 햇살만이 떠오를 것이 아니라 비도 내릴 수 있음을 알기에 '비를 맞을 준비'를 하는 나일지도 모르겠다.

아마도 비가 내릴 거라고 했다.
그래서 우산도 우비도 준비했다.
역시나 비가 내렸다.
그래서 우산도 쓰고 우비도 입었다.
피할 수 있을 거라 생각했다.
춥진 않을 수 있을 거라 믿었다.
분명 미리 우산을 썼는데 아무리 막아보려 해도
차갑게 불어오는 비바람까진 막아내진 못했다.

애써 우비를 입고 숨어보려 했는데도
오히려 날 비웃듯이 더욱 날카로워지는 차가움과
으슬으슬 떨려오는 내 몸은 감출 수가 없었다

이어서 천둥 번개가 찾아올지도 모른다.
어쩌면 소나기처럼 지나가고 무지개가 떠오를지도 모른다.
그렇게 난 또 희망을 가져본다.
심장을 쿵 차갑게 할 천둥 번개가 아닌
마음을 두근두근 설레게 할 무지개가 찾아오기를….

만약, 그럴 수 없다면
무섭다고. 외롭다고. 아프다고. 힘들다고.
차라리 흘리는 내 눈물
아무도 모르게 빗물과 함께 편히 보내버릴 수 있도록
시원하게 폭우가 내려지기를 바라본다.
나는 그렇게 또 비와 마주할 준비를 한다.

— 2015년 어느 날 힐따시 '영배우' 새싹작가 로 담았던 나의 글

다시 한 번 부탁한다. 내가 보내는 메시지, 나의 빛을 마주해주자. 내가 무심히 고른 색깔, 이를 통해 던진 질문 속에 어쩌면 내가 이미 듣고 싶은 이야기가, 만나고자 하는 메시지들이 담겨 있을 수 있다. 어둠 속에 가려진 해님일지라도, 눈 부신 햇살 속에 숨겨진 달님일지라도 나는 내가 어디에서 어떤 빛을 밝히고 있는지 알고 있어야 하지 않겠는가. 무엇이 되었건, 어디에 있든 분명한 사실은 지금 이 순간에도 나는 빛나고 있음을 기억하길 바란다.

"누구나 남다르고 매 순간 나 역시, 색다를 수 있다.
존재만으로도 빛나는 소중한 나는, 딱 한 사람이다."

나만의 컬러인터랙트

『색깔로 나를 만나는 시간』

마지막 장은 마치 트롤: 월드 투어 (Trolls World Tour, 2020)의 라스트 곡과도 같고 싶었다. 자신만의 색깔을 고집하던 이들은 결국 모든 빛을 잃는다. 이 순간, 누군가의 핑크빛 심장이 뛰기 시작한다. 이미 만들어진 것은 뺏고 뺏기며, 지키려 애써야만 했다. 그러나 경험을 통해, 우리의 인생 안에서 직접 만들어낸 소리는 그 누구도 빼앗아 갈 수 없음을 이야기한다. 이러한 내용과 함께 색다른 빛들이 펼쳐지며 새로운 세상을 만들어간다. 그러니 지금 이 순간, 나의 두근거리는 내 안의 나부터 새롭게 만나보자. 그리고 보이고 들리며 느껴지는 대로 나의 색깔, 나의 이야기로 빛내주길 바란다.

내가 만든 색깔 이름

눈물을 부르는 색 / 눈물 고인 눈동자
비움의 순간 / 비행기에서 본 구름

(연습)

QR코드로 들어오시면, 좀 더 다양한 자료를 만나보실 수 있습니다.
나의 컬러인터랙트 시간을 보내고, 공유 가능하신 분들은 메일로 보내주세요.

색다른 질문	남다른 느낌
_____	_____
_____	_____
_____	_____
_____	_____
_____	_____
_____	_____
_____	_____
_____	_____

얼마나 더 울어야 할까
무엇이 그리 버거운가
슬플 땐 무엇을 해야 할까

나에게 하늘색은 눈물이었구나
비움의 순간이 찾아올 때면
하늘을 보며 눈물을 흘려줘도 좋겠다

함께해주신 분들께는 '컬러인터랙터 셀프과정' 수료증을 메일로 발송해드립니다. (hueinteract@naver.com)

• 내가 생각하는 나의 색깔은 _____ 입니다.

• 내가 좋아하는 색깔은 _____ 입니다.

• 내가 싫어하는 색깔은 _____ 입니다.

• 내 강점의 색깔은 _____ 입니다.

• 내 약점의 색깔은 _____ 입니다.

• 내가 즐겨먹는 색깔은 _____ 입니다.

간단한 질문인 듯하지만, 그 안에 담긴 나만의 이야기를 생각해보세요.
색다른 나를 만날 수도 있습니다.

- 내가 즐겨듣는 색깔은 _____ 입니다.

- 내가 있는 곳의 색깔은 _____ 입니다.

- 내가 입는 옷의 색깔은 _____ 입니다.

- 내가 닮고 싶은 색깔은 _____ 입니다.

- 내가 닮았다고 듣는 색깔은 _____ 입니다.

- 내가 고른 세 가지 색깔은 _____ 입니다.

친구와 가족, 다른 누군가와도 함께해보세요.
HUE 인터액트 컬러인터랙터와도 함께하실 수 있습니다.

Thanks To

가장 먼저, 당신께 감사를 전하며 더불어 심심한 사과에 말씀을 드립니다. 저에겐 한 명 두 명의 이름을 적어낸다는 것은 무척 어려운 일이 아닐 수 없습니다. 그러니, 나의 '딱 한 사람' 지금 바라보는 당신의 이름을 저를 대신하여 불러주길 부탁합니다.

_____ 님 진심으로 감사드립니다.
앞으로 살면서 한 분 한 분 찾아뵙고 직접 인사 전하겠습니다.
"고맙습니다."

다만, 이 책을 담아내기까지 너무 많은 분이 함께해주기에, 이렇게나마 감사의 마음 전해봅니다. 제게 처음, 컬러테라피를 만나게 해주시고 새로운 삶을 살아갈 수 있도록 해주신 나의 스승님, 조성호 마스터님과 컬러테라피스트가 될 수 있도록 가르쳐주신 한국컬러테라피협회 김규리 대표님께 감사의 말씀 드립니다. 휴인터랙트 – 컬러인터랙터라는 새로운 이름으로 홀로서기를 시작했을 때부터 지금껏, 언제나 든든한 파트너로 동행해주는 박영숙 선생님께도 고마운 마음 전해봅니다. 누구보다 저의 성공을 기원해주시는 배정인 작가님 그리고 글 쓰는 재미를 알게 해주고 더불어 작가로 성장할 수 있도록 가장 큰 힘이 되어준 우리 '공감 따뜻한 동행' 작가님들 모두 고맙습니다.

사실, 이 책을 세상에 내놓기까지 꽤 오랜 시간과 많은 고민이 찾아오기도 했습니다. 그 이유 중 한 가지는 바로 내 가족에 대한 마음 때문이었습니다. 한 아이 엄마가 되어보니 알 수 있었습니다. 내 아이가 웃을 때면 너무나도 행복해서 눈물이 나기도 하고, 나의 아이가 아플 때면 눈물 나도록 화가 나기도 하는 것이 엄마의 마음이더라고요. 다른 이들이 괜찮다고 말하면 다행이다 싶지만, 내 아이가 괜찮다 말할 때면 진짜 괜찮은 것인지 걱정이 더 앞섰던 것 같습니다. 분명 저에게는 지나간 아픔이고 누구보다 단단해진 나 자신을 만났기에 책과 함께 저 역시, 이 세상에 나올 수 있었습니다. 그런데 어쩌면 나의 모든 이야기가 아픔으로 전해졌을지 모를 부모님 그리고 내 가족을 생각하니 미안함과 고마움이 함께 찾아옵니다. 그러나 믿습니다. 언제나 한결같이 나를 믿어주었듯, 지금 이 순간에도 나를 위해 그 누구보다 더 힘껏 웃어주고 있을 거라 믿고 또 바라봅니다. 그저 떠올림만으로도 미소 짓게 하는 소중한 내 가족에게 깊은 감사의 마음 전해봅니다.

"나의 사랑, 소중한 내 가족 고맙습니다. 우리 가족의 나라서 다행입니다. 사랑합니다."

끝으로, 이 순간을 함께해주신 나–당신께 다시 한 번 진심으로 감사드립니다.